ANA MARIA CALERA

Myra Clement

Aug 1990

Tel. 891463

COCINA VALENCIANA

(Alicante, Castellón, Valencia)

EDITORIAL EVEREST, S. A.

MADRID • LEON • BARCELONA • SEVILLA • GRANADA • VALENCIA
ZARAGOZA • BILBAO • LAS PALMAS DE GRAN CANARIA • LA CORUÑA
PALMA DE MALLORCA • ALICANTE — MEXICO • BUENOS AIRES

Láminas: Oronoz
Cubierta: Oronoz
Realización: Jesús del Olmo

TERCERA EDICION

© EDITORIAL EVEREST, S. A.
Carretera León-La Coruña, km 5 - LEON
Reservados todos los derechos
ISBN: 84-241-2232-1
Depósito legal: LE. 543 – 1989
Printed in Spain - Impreso en España

EDITORIAL EVERGRAFICAS, S. A. - Carretera León-La Coruña, km 5 - LEON (España)

INDICE

INTRODUCCION

Si tratamos de Cocina Levantina acude de inmediato la idea de una cocina del arroz, sin duda es así, puesto que los alimentos que en mayor abundancia se dan en la tierra son aquellos que llegan a caracterizar una forma de guisar. El arroz, ese alimento cuyo cultivo nos llegó de mano de los árabes que lo trajeron a España desde Egipto, y a través de la costa septentrional de Africa, es muy rico en proteínas y de fácil digestión. Existen pueblos orientales cuyo único alimento es el arroz. Del arroz se ha dicho que «nace en el agua y muere en el vino». En verdad los levantinos han sabido hacer con él toda una serie de preparaciones a cual más suculentas.

No sólo el paladar goza con una buena paella, sino la vista, ya que se trata de algo sin igual en la Cocina Española, fundiéndose su delicioso sabor, con su contemplación y su olor inigualables.

El gran poeta valenciano Teodoro Llorente describió así, en su lengua vernácula, el famoso pato de «Arros amb fesols y naps».

«Per l'horta, tocante migdia,
plens de infantil alegria,
dichosos i satisfets,
tornaven a la alqueria
dos pobres fematerets.»
L'un i l'altre, al escoltar
les dotse, que en só de queix
les cridaven a la llar,
tingueren una mateixa
idea: la de dinar.
Lo més menut, que li guanya
al altre que l'acompanya
en vivor, li digué així:
«Si fores lo rey d'Espanya
¿què dinaries tu hui?»
«Alsant lo fronto ple de arraps
i soltant la llengua pronta,
li contesta: "¿pues no hu saps?

Quina pregunta més tonta...!
Arròs amb fesols i naps."»
«¿I tu?», afegí lo mejor.
Lo menut llansa un suspir,
i tocant-se la suhor,
le replicà «¿Què he de dir,
si tu has dir ja lo millor?».

Pero la Cocina Levantina, además de los platos de arroz, cuenta con un recetario amplio y variado en el que vemos riquísimas verduras y excelentes pescados y mariscos que, bien condimentados y guisados, son plato exquisito y delicado.

Entre los muchos postres levantinos observamos la aparición de la naranja (otro producto genuino de la tierra) además de sus ricos turrones o de sus monas o pudines no olvidando que, para el verano, los levantinos se refrescan con la estupenda horchata de chufa, cuya fama está extendida por todo nuestro país.

En cuanto a los vinos de la región recordemos los tintos y claros valencianos, cuanto más oscuro y de más graduación, mejor. Tintos de Requena y Utiel, Castellón, Novelda, Villena y Monóvar, el mejor de toda la zona levantina, sin olvidar los de Villas del Arzobispo, Casinos, Chelva y Liria, llamados de grado.

La obtención de un número tan elevado de recetas no habría sido posible de no contar con una bibliografía, extensa y exhaustivamente consultada, que nos ha permitido llegar a lograr este volumen completísimo de COCINA LEVANTINA.

Una cocina tan rica y variada que esperamos sea del agrado de todos, tanto levantinos, como de otras regiones de la Península.

ANA MARIA CALERA
Primera Dama Gourmet del Club
de la Buena Mesa de Barcelona

Capítulo I

ARROZ Y PAELLAS

ARROZ

1. Arroz a banda (1.ª forma)
2. Arroz a banda (2.ª forma)
3. Arroz a banda (3.ª forma)
4. Arroz variado
5. Arroz de venta
6. Arroz de acelgas
7. Arroz con «pava de huerta»
8. Arroz con guisantes
9. Arroz con sepia estofada
10. Arroz con almejas
11. Arroz con anguilas
12. Arroz con congrio
13. Arroz con mejillones
14. Arroz con cigalas
15. Arroz con costilla de cerdo
16. Arroz «amb perdiu»
17. Arroz «amb costra»
18. Arroz «amb cigrons»
19. «Arros amb fesols i naps»
20. Arroz con judías, nabos y cerdo
21. Arroz con pollo y lomo
22. Arroz con bacalao
23. Arroz con picadillo
24. Arroz con picadillo de bonito y salsa de tomate
25. Arroz con naranja y pollo
26. Arroz con gallina
27. Arroz a la marinera
28. Arroz al horno
29. Arroz en corona
30. Arroz con langostinos
31. «Arros empedrat»
32. Arroz al estilo de Castellón
33. Arroz al estilo de Elche (1.ª forma)
34. Arroz al estilo de Elche (2.ª forma)
35. Arroz al estilo de Valencia (1.ª forma)
36. Arroz al estilo de Valencia (2.ª forma)
37. Arroz al estilo de Valencia (3.ª forma)
38. Arroz al estilo de Valencia (4.ª forma)
39. Bolas de arroz con higaditos

PAELLAS

40. Paella casera
41. Paella mixta (1.ª forma)
42. Paella mixta (2.ª forma)
43. Paella del Hogar
44. Paella de verduras del tiempo
45. Paella de mariscos
46. Paella de pollo
47. Paella de conejo
48. Paella a la alicantina (1.ª forma)
49. Paella a la alicantina (2.ª forma)
50. Paella a la valenciana (1.ª forma)
51. Paella a la valenciana (2.ª forma)
52. Paella a la valenciana (3.ª forma)
53. Paella a la valenciana (4.ª forma)

1. Arroz a banda (1.ª forma)

Ingredientes para 4 personas:
1/2 kilo de arroz
1 kilo de pescado variado (rascacias, gallina y rata de mar, salmonetes, gallos, langostinos y almejas)
1/8 de litro de aceite
2 ajos
azafrán
perejil
pimienta blanca en polvo
1/4 kilo de tomates
1 ñora [1]
salsa de all i oli [2]
agua
sal.

Limpiaremos bien el pescado, y lo coceremos junto con las almejas y los langostinos en abundante agua con un chorro de aceite crudo, un diente de ajo picado, y una rama de perejil y sal, dejándolo cocer durante diez minutos.

Una vez cocido retiraremos el pescado dejando el caldo colado. En una paella echaremos el aceite, y freiremos la ñora, que se retira y pica en el mortero; en el aceite freiremos el tomate muy menudito (machacaremos la ñora con azafrán, perejil y pimienta). Este majado, con un poco de agua de pescado, lo echaremos sobre el tomate, agregando doble cantidad de agua de cocer el pescado y sazonando con sal, todo esto lo herviremos. Cuando empiece el hervor incorporaremos el arroz que cocerá durante quince minutos. Lo apartaremos con algo de caldo dejándolo reposar, cinco o seis minutos después lo serviremos.

El pescado va aparte con la salsa de all i oli.

---

[1] Pimiento seco.
[2] Para hacer la salsa de «all i oli» consultar Capítulo V: Salsas.

2. Arroz a banda (2.ª forma)

Ingredientes para 4 personas:
400 gramos de arroz
2 litros de agua
200 gramos de rata de mar
200 gramos de rape
200 gramos de gambas
200 gramos de lluerna
200 gramos de araña de mar
400 gramos de tomates
1/4 litro de aceite
1 cebolla
3 dientes de ajo
un poco de hinojo

Echaremos el aceite en una cazuela al fuego y rehogaremos la cebolla previamente picada; cuando esté bien dorada agregaremos el tomate cortado a trozos y un ramito compuesto por el laurel, tomillo, hinojo y perejil. Añadiremos los dos litros de agua y sazonaremos con sal y pimienta. Durante la cocción y una vez limpio el pescado, quitaremos la cabeza y la punta de la cola y las agregaremos a la cazuela en la que hervirá por espacio de media hora, pasándolo después por un colador, exprimiéndolo bien para sacar la sustancia y obtener un buen caldo de pescado.

En una cazuela pondremos los pescados cortados en trozos, así como los langostinos y las almejas (éstas hervidas para que se abran y se les pueda quitar media cáscara),

un ramito de hierba compuesto
de laurel, tomillo y perejil
12 almejas
4 langostinos
pimienta blanca en polvo
1 papeleta de azafrán en hebra
sal.

adicionaremos el caldo preparado de antemano y arrimaremos la cacerola al fuego, que se haga a fuego vivo unos 15 minutos, añadiéndole a media cocción el azafrán ligeramente tostado y los dientes de ajo (el azafrán y los ajos machacados en el mortero).

Cuando esté en su punto, retiraremos como un litro de este caldo y lo echaremos a una cacerola y, al arrancar el hervor, agregaremos el arroz, dejándolo cocer a fuego lento durante 20 minutos.

Se sirve el arroz en una fuente y en otra los pescados.

3.   Arroz a banda (3.ª forma)

Ingredientes para 4 personas:
400 gramos de arroz
1/2 kilo de cabra de mar
1/4 kilo de rape
1 docena de almejas frescas
1/4 kilo de gallina de mar
un poco de tomillo
pimienta blanca en polvo
4 tomates
salsa mahonesa
1/4 kilo de langostinos
2 dientes de ajo
1/4 kilo de gambas
1 cebolla
1 hoja de laurel
perejil fresco
azafrán hebra
1/4 litro de aceite
agua
sal.

En una cazuela grande con aceite freiremos la mitad de la cebolla picada menudamente. Ya dorada, añadiremos dos tomates pelados y limpios y cortados en trozos. Una vez fritos, echaremos litro y medio de agua y un ramito compuesto por el tomillo, el laurel y el perejil, sazonaremos con sal y pimienta, echando los desperdicios de limpiar el pescado y cociéndolo todo por espacio de media hora; después colaremos el caldo.

Pondremos en una olla el pescado limpio y partido en trozos, las gambas, los langostinos, las almejas bien lavadas y abiertas, y el medio kilo de cabra de mar, así como el agua que sueltan, cubriendo todo con el caldo preparado y echando sal y el azafrán. Lo dejaremos en el fuego durante 15 minutos.

Freiremos en una paella o cazuela con aceite un poco de cebolla, dos tomates pelados en trozos y los ajos finamente picados, añadiremos el arroz y rehogaremos bien, añadiendo después el caldo de cocer todos los pescados, rectificando de sal y, a los cinco minutos de cocción, lo meteremos al horno por espacio de un cuarto de hora. Retirado lo dejaremos reposar durante cinco minutos antes de presentarlo a la mesa.

Lo serviremos en la misma paella o cazuela (el pescado en una fuente) acompañándolo de una salsera con la salsa mahonesa. Después se come mezclándolo todo con el arroz.

4. Arroz variado.

Prepararemos los huesos de ternera en una olla con litro y medio de agua, una de las cebollas, las zanahorias, los nabos y sal, dejándolo cocer durante una hora hasta obtener como mínimo un litro de caldo. Cortaremos a trocitos el pollo y el lomo, rehogándolo con parte de la manteca de cerdo (dejaremos un poco) y añadiremos una de las cebollas picadas, cuando empiece a tomar color, agregaremos el jerez, la salsa de tomate, los champiñones, un vaso de agua y las salchichas partidas en pedacitos, sazonando con sal y pimienta y cociéndolo tapado, a fuego lento unos 30 minutos.

En la manteca que nos quedó rehogaremos la última cebolla pelada y picada, antes de que tome color incorporaremos el arroz y el litro de caldo, después de pasarlo por un colador, dejando cocer el arroz a fuego lento por espacio de 20 minutos. Una vez hecho, llenaremos con el arroz un molde de forma de corona, que estará untado de mantequilla, y lo volcaremos encima de una fuente redonda y, en el centro, colocaremos la mezcla de pollo, lomo salchichas, etcétera.

Este plato debe comerse muy caliente.

5. Arroz de venta

En la paella clásica puesta al fuego (mejor de leña si se tiene a mano) echaremos el aceite y, cuando esté caliente, iremos añadiendo los ingredientes por este orden: el pollo limpio y troceado, los dientes de ajo picados, el tomate convertido en puré, en crudo, el perejil, las alcachofas (los corazones) y los guisantes; después de un buen rehogado echaremos los pimientos cortados a trozos, el azafrán, la ñora (remojada en agua caliente y chafada), un poco de pimienta, el clavo, la sal y el doble de agua caliente que de arroz.

Este arroz debe hervir a fuego muy vivo (se le conoce también por el nombre de «Arroz arrebatado», o sea, que cocerá muy precipitadamente y se dice por Alicante que si toma el sabor al humo de la leña está más rico). Cocción entre 25/30 minutos.

---

[1] Pimiento seco.

6. Arroz de acelgas

Ingredientes para 4 personas:
400 gramos de arroz
200 gramos de judías blancas secas
1/4 litro de aceite
3 dientes de ajo
200 gramos de tomates
pimentón rojo dulce
50 gramos de tocino magro
1/2 kilo de acelgas tiernas
agua
sal.

Las judías blancas previamente remojadas las coceremos con agua y sal, procurando que al finalizar la cocción queden más bien caldosas, cocidas se escurren y guardan, añadiéndole agua al caldo hasta un litro y cuarto y dejándolo con la sal necesaria.

En una paella honda puesta al fuego echaremos el aceite con el tocino cortado a cuadritos y cuando esté dorado, añadiremos las acelgas bien lavadas, escurridas y trinchadas muy menudas. Taparemos y dejaremos a fuego lento. A los 5/7 minutos añadiremos los ajos cortados muy menudos, destaparemos la paella y subiremos el fuego. Bien rehogado todo, echaremos los tomates dejándolos que cuezan unos cinco minutos. Le mezclaremos el pimentón, la sal y las judías cocidas, revolviendo bien y añadiendo el arroz y el agua (que puede ser el caldo de cocer las judías, que tendremos hirviendo en otro fuego), procurando que al ponerla en la paella y revolverlo todo bien hierva en seguida. Coceremos el arroz a fuego vivo durante 15/20 minutos, sirviéndolo en la misma paella.

7. Arroz con «pava de huerta»

Ingredientes para 4 personas:
450 gramos de arroz
1 coliflor
1 ñora [1]
6 cucharadas soperas de aceite
2 tomates
1 diente de ajo

Rehogaremos la ñora en una paella al fuego con el aceite, una vez frita la retiramos. En el mismo aceite freiremos los ajos, el tomate y la «pava», o sea la coliflor, todo picado.

Seguidamente, incorporaremos el arroz, sazonándolo con azafrán y sal.

La ñora se pica en el motero y se incorpora a lo anterior,

azafrán en hebra
sal.

juntamente con el doble de agua caliente que de arroz, dejándolo cocer 20/25 minutos. Para el buen éxito de este arroz aconsejamos que la coliflor o «pava de huerta» sea muy tierna.

---

[1] Pimiento seco.

8. Arroz con guisantes

Ingredientes para 4 personas:
400 gramos de arroz
400 gramos de guisantes
200 gramos de tocino
50 gramos de mantequilla
2 cucharadas soperas de aceite
1 cebolla
1 ¹/₂ litros de caldo
25 gramos de queso rallado
pimienta blanca en polvo
sal.

En una cazuela al fuego derretiremos la mantequilla dorando en ella la cebolla, rehogando los guisantes y el tocino cortado a trocitos, incorporando el arroz. Lo dejaremos cocer, junto con el caldo, que lo iremos añadiendo lentamente y caliente.

Remover de vez en cuando y sazonar con sal y pimienta. Cuando está hecho le añadiremos el queso rallado.

9. Arroz con sepia estofada

Ingredientes para 4 personas:
1 kilo de sepia
800 gramos de patatas
100 gramos de arroz
1 hojita de laurel
1 cebolla
2 cucharadas de puré o salsa de tomate
1 diente de ajo
perejil fresco
1 sobre de azafrán
agua
1 copita de jerez seco, sal.

Un plato muy apropiado para hacer en una olla o cazuela honda. Limpiaremos muy bien la sepia y la cortaremos a trozos regulares rehogándola en aceite, con la cebolla cortada en cuatro trozos, el diente de ajo picado, perejil trinchado, jerez seco, sal y un poco de agua. Cuando esté casi hecha (es un poco dura) pelaremos las patatas y las trocearemos, incorporándolas a la sepia junto con el aroz y agua, calculando más cantidad que si fuese sólo arroz; en vez del doble agregaremos el triple, ya que las patatas también absorben el líquido. Echaremos el sobre de azafrán y la sal y dejaremos que se haga, removiendo de vez en cuando el fondo al objeto de que no se pegue el arroz.

10. Arroz con almejas

Ingredientes para 4 personas:
4 pocillos de arroz
8 pocillos de agua
5 cucharadas soperas de aceite
1/2 kilo de almejas
perejil picado fresco
2 cucharadas soperas
de cebolla picada
agua
sal.

Lavaremos las almejas en varias aguas frías frotándolas bien unas contra otras al objeto de que suelten la tierra y las dejaremos en una cazuela al fuego, con ocho pocillos de agua fría, hasta que se abran. Retiraremos las almejas y colaremos el agua por un paño fino, reservándola.

Pondremos sobre el fuego, en una cazuela, el aceite y freiremos la cebolla picada; una vez dorada, agregaremos las almejas, el arroz y el perejil, rehogándolo todo muy bien. A continuación, echaremos el agua que reservamos de las almejas (este agua estará hirviendo). Sazonaremos con sal y dejaremos hacer a fuego lento hasta su completa cocción, unos 15/20 minutos según la calidad del arroz.

11. Arroz con anguilas

Ingredientes para 4 personas:
1/4 kilo de arroz
1 anguila gorda
pimienta negra en polvo
1 clavo
agua
4 cucharadas soperas de aceite
1/2 cebolla
perejil fresco
sal.

Trincharemos la cebolla (muy fina) y la freiremos en una cazuela puesta al fuego con el aceite; allí mismo daremos una vuelta al arroz y calcularemos el agua (doble volumen que el del arroz) que calentaremos previamente.

Limpia la anguila, la trocearemos y la guisaremos junto con el arroz, añadiendo clavo, sal y pimienta.

Cubriremos con el agua que se precise y empezaremos el hervor, primero rápido y después lento; con unos 20 minutos tendremos suficiente.

Serviremos el arroz con anguilas cubierto de perejil picado.

12. Arroz con congrio

Ingredientes para 4 personas:
4 tazas de desayuno, de arroz
1/2 kilo de congrio de la parte
abierta

En una cazuela al fuego echaremos el aceite y el ajo muy troceado y, cuando empiece a dorar, agregaremos el arroz, rehogándolo un poquito y añadiendo el agua que estará caliente.

8 tazas de desayuno de agua
1/4 kilo de guisantes
1/2 taza de desayuno de aceite
3 dientes de ajo
perejil fresco
sal.

Cuando lleve cociendo cinco minutos adicionaremos el congrio, limpio y cortado en trocitos y los guisantes. Sazonaremos con sal y lo dejaremos cocer diez minutos. Retirado del fuego lo espolvorearemos con perejil muy picado, dejándolo reposar un poquito antes de servirlo a la mesa.

13. Arroz con mejillones

Ingredientes para 4 personas:
4 tazas de desayuno, de arroz
2 kilos de mejillones
8 tazas de desayuno del agua de
cocer los mejillones
1 cebolla
3 dientes de ajo
1 limón
perejil fresco
6 cucharadas soperas de aceite
sal.

Pondremos los mejillones limpios con agua y sal al fuego. Cuando abran los retiraremos de las conchas, dejando el agua aparte.

En una cazuela echaremos el aceite, la cebolla, los ajos muy picados y el perejil. Antes que lleguen a dorar agregaremos el arroz, rehogaremos un poquito y le añadiremos el zumo del limón colado y el agua de cocer los mejillones. Cuando lleve cociendo cinco minutos incorporaremos los mejillones dejándolo cocer diez minutos más.

Es bueno que repose, una vez hecho, aunque sólo sean tres minutos, antes de presentarlo a la mesa.

14. Arroz con cigalas

Ingredientes para 4 personas:
400 gramos de arroz
3/4 de litro de agua
200 gramos de rape
200 gramos de calamares
grandes
200 gramos de congrio o
merluza
8 cigalas, 12 almejas
25 gramos de guisantes
2 cebollas, 3 dientes de ajo
1/4 litro de aceite
1/2 lata de pimientos rojos
50 gramos de puré de tomate
perejil fresco

Limpiaremos bien el pescado cortándolo a trozos y dejando enteras las cigalas. Pondremos en una cazuela al fuego la mitad del aceite y después dos dientes de ajo, cuando estén dorados los retiraremos y reservaremos añadiendo las cebollas bien peladas y picadas y rehogando todo hasta dorarlo; incorporaremos también el pimentón y el tomate.

En una paella al fuego, echaremos el resto del aceite, friendo los pescados ya preparados y las cigalas, luego añadiremos el frito de la cazuela y haremos el conjunto durante 10 minutos. A continuación mezclaremos el arroz y añadiremos el agua hirviendo, sazonando con sal y pimienta y agregando también los guisantes previamente cocidos (o de lata) con agua y sal, y los pimientos cortados a trozos y las almejas cocidas y quitada la media cáscara vacía. Macha-

*1 papeleta de azafrán en hebra
1 cucharada sopera de pimentón
rojo dulce.
pimienta blanca en polvo, sal.*

caremos al mortero los ajos fritos anteriormente, añadiendo el que tenemos crudo, un poco de perejil y el azafrán ligeramente tostado. Coceremos el arroz unos 20 minutos más y antes de servirlo lo espolvorearemos con perejil fresco muy picado.

15.   Arroz con costilla de cerdo

Ingredientes para 4 personas:
4 tazas de desayuno, de arroz
750 gramos de costilla adobada
de cerdo
8 tazas de desayuno, de agua
1 cebolla pequeña
6 cucharadas soperas de aceite
sal.

En una cazuela al fuego echaremos el aceite, la cebolla picadita y las costillas cortadas en trozos pequeños. Lo freiremos durante cinco minutos, echando el arroz y rehogándolo un poco con las costillas, añadiremos el agua caliente y sazonaremos con sal, dejándolo cocer a fuego lento durante 20/25 minutos. Retirado del fuego lo dejaremos reposar, al calor, cinco minutos antes de servirlo a la mesa.

16.   Arroz «amb perdiu»

Ingredientes para 4 personas:
400 gramos de arroz
200 gramos de garbanzos secos
1 cucharada sopera de pimentón
rojo dulce
.1 vasito de aceite
1 cabeza de ajo
1 tomate
1/2 cebolla
azafrán hebra
agua
sal.

En una olla al fuego, con litro y medio de agua, coceremos los garbanzos previamente remojados desde el día anterior. A media cocción les añadiremos la cabeza de ajo entera (ésta es la «perdiu»), azafrán y el pimentón. Cuando estén casi cocidos, prepararemos una cazuela de barro refractaria con el vasito de aceite y freiremos la cebolla finamente picada con el tomate pelado y limpio. Cuando comience a dorarse la cebolla, añadiremos la patata pelada y partida en rodajas y el arroz, rehogando todo y echando los garbanzos con su caldo (tiene que ser aproximadamente como un litro), sazonaremos y removeremos, dejándolo cocer por espacio de tres o cuatro minutos; metiéndolo después en el horno durante unos 15 minutos. Retirado del horno lo dejaremos reposar durante cinco minutos, sirviéndolo en la misma cazuela con la cabeza del ajo en el centro.

Este plato es muy famoso en Valencia en el tiempo de la Cuaresma. Hace muchos años se mandaba a cocer en los hornos de pan, hoy en día se prepara en casa.

17. Arroz «amb costra»

Ingredientes para 4 personas:
400 gramos de arroz
1 pollo de 800 gramos de peso
cortado a trozos
1 conejo de 700 gramos de peso
cortado a trozos
6 salchichas
2 morcillas
agua
8 huevos
1/4 litro de aceite
2 dientes de ajo
3 tomates
perejil fresco
azafrán hebra
sal.

En una sartén al fuego, con aceite, freiremos el pollo y el conejo que después coceremos en agua caliente con sal aprovechando ese caldo para hacer después el arroz. En la misma grasa, o echando más si fuese necesario, rehogaremos las salchichas y las morcillas cortadas a trozos y reservándolas en un plato.

En la misma sartén, y el mismo aceite, seguiremos friendo los dientes de ajo picados y el arroz, así como el tomate picado, el azafrán y un poco de perejil picado, echaremos un poco de sal.

Pondremos todo lo rehogado, así como el pollo y el conejo escurridos de su caldo, en una «cassola de fang» (cazuela de barro) cubriéndolo con el caldo pero cuidando de que la proporción de líquido sea un poco menor que la normal, que es el doble. Dejar cocer 20 minutos hasta ver el arroz seco, momento en que se cubrirá con los huevos bien batidos y se mete al horno, caliente, por espacio de 10 minutos.

NOTA: Este arroz admite, además de lo citado, unas albóndigas y unos garbanzos cocidos. Generalmente se presenta de forma que pueda cortarse como una tortilla de patatas, o sea, en porciones más o menos grandes. Es típico de Elche y se le conoce también con el nombre de «Tesoro escondido».

18. Arroz «amb cigrons»

Ingredientes para 4 personas:
400 gramos de arroz
250 gramos de garbanzos secos
5 cucharadas soperas de aceite
ajos
1 papeleta de azafrán
agua
sal.

Los garbanzos, previamente remojados desde la víspera, los coceremos en una olla de barro.

Pondremos el aceite en una sartén y freiremos los ajos. En la misma sartén rehogaremos el arroz añadiendo los garbanzos cocidos con su caldo, sal y azafrán.

Por último meteremos la sartén en el horno procurando que los garbanzos queden por encima.

Estará hecho cuando se vea doradito por encima.

19.   «Arros amb fesols y naps»

Ingredientes para 4 personas:
400 gramos de arroz
200 gramos de judías blancas
secas
400 gramos de garreta, mano y
oreja de cerdo
200 gramos de tocino
2 morcillas blancas
2 morcillas negras
6 nabos
1 papeleta de azafrán
agua
sal.

En una olla o puchero sobre el fuego, con agua y un poco de sal, pondremos a cocer las judías blancas, la garreta, mano y oreja de cerdo fresco, así como el tocino, las morcillas blancas y negras y los nabos pelados y cortados a pedacitos, cociéndolo todo en forma lenta y continuada. Cuando veamos que todo está hecho, rectificaremos de sal incorporando el azafrán.

Observaremos el caldo que tiene la olla o el puchero (debe ser, aproximadamente, el doble o un poco más que de arroz) y le dejaremos el justo necesario para cocer el arroz y que éste quede hecho pero suelto. Coceremos el arroz unos 20/25 minutos y lo echaremos en una fuente para servirlo a la mesa.

20.   Arroz con judías, nabos y cerdo

Ingredientes para 4 personas:
350 gramos de arroz
200 gramos de judías blancas
secas
3 nabos
2 manos de cerdo
2 huesos salados de cerdo
1/2 codillo de cerdo
1 cucharada de pimentón rojo
dulce
pimienta negra
1 diente de ajo
agua
sal.

Pondremos a cocer en una olla las judías blancas secas previamente remojadas, que serán de buena clase para que se hagan pronto, con los nabos bien pelados y cortaditos a tiras regulares; incorporaremos las manos y huesos de cerdo salado, el codillo de cerdo, el pimentón, la pimienta negra, el ajo y el agua necesario (algo más del doble que de arroz) colocando la olla en el fuego y dejándola hervir hasta que todo esté cocido y tierno, en ese punto echaremos el arroz, sin revolverlo, sólo sacudiendo la olla para que no se pegue, lo cual haremos agarrándola por las asas, echaremos la sal necesaria y lo apartaremos cuando el arroz esté en su punto de cocción. Es mejor que quede caldoso, pues seco pierde sabor.

Plato típico valenciano muy parecido al anterior de «arros amb fesols y naps».

21.   Arroz con pollo y lomo

Ingredientes para 4 personas:
400 gramos de arroz

Pondremos en una cazuela al fuego la manteca, cuando esté muy caliente añadiremos el pollo cortado a pedazos y

3/4 de litro de agua
1 pollo mediano de 1 kilo de peso
200 gramos de guisantes
75 gramos de manteca de cerdo
2 cebollas
3 tomates
2 dientes de ajo
unas hebras de azafrán ·
1 cucharada sopera de pimentón
rojo dulce
perejil fresco
200 gramos de lomo de cerdo
cortado a trozos
1 pimiento rojo de lata
pimienta blanca en polvo
sal.

limpio y el lomo, friéndolo hasta que adquiera un bonito color dorado. Incorporaremos las cebollas y los ajos trinchados. Transcurridos unos minutos agregaremos el pimentón, los tomates mondados y picados y los guisantes. Taparemos la cazuela y que hierva durante 20 minutos. Luego echaremos el arroz, rehogando éste y agregando el agua hirviendo. Sazonaremos con sal, pimienta y el azafrán ligeramente tostado y machacado al mortero.

A media cocción incorporaremos el pimiento rojo de lata cortado a trozos y dejándolo cocer durante 15 minutos más.

22. Arroz con bacalao

Ingredientes para 4 personas:
400 gramos de arroz
1 1/4 de litro de agua
250 gramos de bacalao en
salazón
400 gramos de habas tiernas
200 gramos de guisantes
200 gramos de alcachofas
200 gramos de judías verdes
1 cebolla
3 dientes de ajo
200 gramos de tomates
150 gramos de pimientos verdes
del tiempo
1/4 litro de aceite
1 papeleta de azafrán en hebra
100 gramos de nabos
1 cucharada sopera de pimentón
rojo dulce
pimienta blanca en polvo
sal y perejil.

Asaremos el bacalao, sin remojar, sobre una parrilla, rociándolo con aceite y colocando la parrilla encima del fuego para que se tueste; luego lo desmenuzaremos quitándole las espinas y lavándolo en varias aguas.

En una cazuela al fuego echaremos las dos terceras partes del aceite, los pimientos cortados a trocitos y la cebolla picada, rehogándolo hasta que tome color dorado. A continuación agregaremos los ajos trinchados, el pimentón y los tomates, mondados y picados, luego los guisantes y las habas, todos desgranados, las judías cortadas a trocitos y los nabos mondados y hechos cuadritos. Adicionaremos un cuarto de litro de agua y el bacalao bien escurrido. Coceremos todo a fuego lento durante 15 minutos, luego añadiremos un litro de agua, sazonando con sal y pimienta y, cuando hierva a borbotones, incorporaremos el arroz, el azafrán ligeramente tostado y triturado con los dedos, y las alcachofas, retiradas las hojas más duras, partidas en cuatro o seis trozos y frita con el resto del aceite. Así todo preparado, lo espolvorearemos con perejil picado y lo coceremos durante 25 minutos.

23. Arroz con picadillo

Ingredientes para 4 personas:
400 gramos de arroz
1/2 cebolla
4 cucharadas soperas de aceite
2 tomates maduros
200 gramos de magro de cerdo
picado
50 gramos de aceitunas sin hueso
1 cucharada sopera de harina
1 pastilla de caldo de carne
1/4 litro de agua.

Coceremos el arroz 20 minutos en agua con sal, una vez hecho lo escurriremos y reservaremos.

En una sartén con el aceite freiremos la cebolla cortada muy fina, los tomates pelados, el magro picado (se puede añadir también un filete de hígado picado), las aceitunas cortadas a trozos y lo rehogaremos bien, incorporando la cucharada de harina y removiendo un poco agregaremos el caldo que se habrá preparado con el agua y la pastilla. Serviremos este picadillo con el arroz blanco alrededor.

NOTA: El magro no es otra cosa que carne de cerdo sin grasa.

24. Arroz con picadillo de bonito y salsa de tomate

Ingredientes para 4 personas:
250 gramos de arroz
agua o caldo
4 rodajas de bonito fresco
salsa de tomate
1/4 de litro de aceite
50 gramos de harina
sal.

Limpio el pescado lo freiremos en aceite después de salarlo y pasarlo por harina. Preparada la salsa de tomate desmenuzaremos en ella el bonito frito y lo dejaremos aparte.

En el agua, o mejor caldo si tenemos a mano, herviremos el arroz (doble cantidad de caldo o agua que de arroz) y lo dejaremos escurrir uniéndolo al picadillo de bonito con tomate, de forma que se mezclen bien.

Preparación sencilla, fácil de hacer y muy apetitosa.

25. Arroz con naranja y pollo

Ingredientes para 4 personas:
1 pollo asado al «ast» para 4
personas
3 cucharadas soperas de aceite
2 cucharadas soperas de corteza
de naranja rallada
el jugo colado de 1/2 naranja
2 tazones de desayuno de arroz
4 tazones de desayuno de agua
sal.

Prepararemos el pollo asado al «ast» en una fuente (puede tratarse también de un pollo asado en casa al horno o en cazuela).

Aparte, y en cazuela puesta al fuego con el aceite caliente, le incorporaremos la corteza de naranja, el jugo de naranja, el arroz, la sal y el agua y dejaremos cocer este arroz unos 15/20 minutos. Cuando esté seco lo serviremos con el pollo.

26. Arroz con gallina

Ingredientes para 4 personas:
1 gallina
4 cucharadas de arroz
100 gramos de manteca de cerdo
50 gramos de jamón para guisar
3 cebollas
2 zanahorias
agua o caldo
sal.

Partiremos la gallina a cuartos, que limpiaremos perfectamente y los rehogaremos en un cazuela muy honda al fuego con la manteca, el jamón cortado a trozos, las cebollas y zanahorias picadas, añadiéndolo agua o caldo suficiente para que hierva, hasta que esté bien tierna (podemos hacerlo en la olla); cuando ya esté casi hecha (debe faltarle muy poco) añadiremos la sal y el arroz y un poco más de caldo o agua, sólo si es preciso, pues no debe quedar nadando en líquido. Hervirá el tiempo preciso para que el arroz se haga (15/20 minutos).

27. Arroz a la marinera

Ingredientes para 4 personas:
400 gramos de arroz
3 pimientos rojos
1/2 cucharada sopera de
pimentón rojo dulce
aceite
400 gramos de pescado (puede
ser congrio, rape, mero o mezcla
de todos o cualquier otro pescado)
2 dientes de ajo
azafrán en hebra
agua o caldo, sal.

Freiremos en una cazuela de barro o paella con aceite caliente el pescado limpio y partido en trozos; cuando comience a dorar añadiremos el arroz, rehogándolo bien y echando el pimentón y el agua hirviendo (doble cantidad que de arroz). Machacaremos los ajos en el mortero con el azafrán y desleiremos en un poco de agua, añadiéndolo al arroz; echaremos la sal y los pimientos asados y pelados partidos a trozos pequeños. Dejaremos el arroz en el fuego unos 20 minutos y después lo retiraremos dejándolo reposar cinco minutos antes de servirlo a la mesa.

28. Arroz al horno

Ingredientes para 4 personas:
4 tazas de desayuno de arroz
8 tazas de desayuno de agua
1/2 cucharada sopera de
pimentón rojo dulce, 4 tomates
1 diente de ajo
2 cucharadas soperas de salsa de
tomate

Freiremos en una sartén al fuego unas gruesas rodajas hechas con las patatas, dejándolas una vez hechas en plato aparte; a continuación echaremos la salsa de tomate, el ajo picado, el pimentón y el azafrán, al igual que se hace en la paella. Pasaremos todo el sofrito a una cazuela de barro, añadiendo el arroz, y colocando por encima las rodajas de patatas fritas y tomatitos cortados cada uno en dos mitades y en

1 papeleta de azafrán
aceite
4 patatas
1 cabeza de ajo
sal.

el centro la cabeza de ajo, añadiremos el agua, sazonaremos con sal y meteremos la cazuela al horno para su total cocción.

29. Arroz en corona

Ingredientes para 4 personas:
250 gramos de arroz
1/2 litro de agua
50 gramos de mantequilla
pimienta blanca en polvo
salsa al gusto
sal.

Coceremos el arroz en el agua, con sal y un poco de mantequilla, echándole una pizca de pimienta. Una vez cocido (20 ó 25 minutos) lo moldearemos en un molde corona untado de mantequilla volcándolo en una fuente.

Este arroz puede servirse con diferentes salsas, según el gusto: mahonesa, salsa cóctel o salsa de tomate especiada.

30. Arroz con langostinos

Ingredientes para 4 personas:
400 gramos de arroz
1 cebolla
3/4 de litro de agua
5 cucharadas soperas de vino
blanco seco
150 gramos de tomates
100 gramos de mantequilla
250 gramos de langostinos
2 dientes de ajo
perejil fresco
70 gramos de queso rallado
1 hoja de laurel
pimienta blanca en polvo, sal.

Picaremos la cebolla y la freiremos a fuego lento, con la mantequilla en una cazuela añadiendo a continuación el arroz y dejándolo que se dore, lo removeremos de vez en vez con una cuchara de madera. Agregaremos el vino, el ajo, un poco de perejil y los tomates pelados, el laurel, 4 langostinos sin caparazones, la sal y un poco de pimienta. Añadiremos parte del agua caliente, hasta cubrir el arroz. Mientras dura la cocción taparemos la cazuela y le iremos añadiendo paulatinamente agua, a medida que el arroz crezca. Cuando esté cocido, lo echaremos en una fuente y lo serviremos espolvoreado con perejil picado y queso rallado, decorando la fuente con el resto de los langostinos cocidos.

31. «Arros empedrat»

Ingredientes para 4 personas:
500 gramos de judías blancas
secas
1 cabeza de ajo

«Arros empedrat» y, en Jijona, «arros de fàbrica», ya que es costumbre servir este tipo de arroz a los operarios de las fábricas de turrón.

Pondremos a cocer en una olla al fuego con agua fría las

1 tomate
perejil fresco
200 gramos de arroz
agua
4 cucharadas soperas de aceite
sal.

judías (remojadas). Transcurrido un cuarto de hora, cambiaremos el agua, iniciando de nuevo la cocción hasta que comiencen a abrirse (según la clase tardarán de hora y media a dos horas).

Rehogaremos en el aceite la cabeza de ajo, el tomate pelado y picado, unas ramitas de perejil, y añadiremos el arroz y las judías con el caldo en que han cocido, rectificaremos el punto de sal. Regularemos el fuego y vigilaremos el caldo, pues el arroz ha de quedar completamente seco.

32. Arroz al estilo de Castellón

Ingredientes para 4 personas:
300 gramos de arroz
400 gramos de conejo
100 gramos de langostinos o gambas
100 gramos de garbanzos cocidos
1 cebolla, azafrán hebra
1 vaso de aceite de oliva
2 pimientos rojos de lata
2 huevos, 2 dientes de ajo
pimentón rojo dulce (1 cucharada sopera), agua o caldo, sal.

Cortaremos el conejo en trozos y lo pondremos en una cazuela de barro con el aceite y la cebolla picada, rehogándolo bien y agregando los langostinos (o gambas), el pimentón, el arroz y los garbanzos. Incorporaremos el agua hirviendo (doble de agua que de arroz, más una medida). Sazonaremos con sal, añadiremos los pimientos cortados en trozos, el ajo y el azafrán, machacados al mortero. Coceremos el arroz durante 15 minutos y luego lo cubriremos con los huevos batidos, dejándolo por espacio de tres minutos a horno fuerte.

33. Arroz al estilo de Elche (1.ª forma)

Ingredientes para 4 personas:
400 gramos de arroz
2 litros de agua
150 gramos de garbanzos secos, remojados
100 gramos de chorizo
50 gramos de tocino
250 gramos de magro de cerdo
1 pollo (o conejo) de unos 750 gramos cortado a trozos
1 diente de ajo
25 gramos de cebolla
3 cucharadas soperas de aceite
4 huevos, sal.

Coceremos los garbanzos en agua caliente con el tocino y el chorizo. En una cacerola al fuego con aceite freiremos la cebolla picada con el magro de cerdo, el pollo pequeño (o conejo) cortado en pedazos, añadiendo el ajo y, cuando esté dorado, incorporaremos un poco del caldo de los garbanzos dejándolo cocer lentamente hasta que todo esté tierno.

Pondremos el guisado y los garbanzos en una tartera redonda añadiendo el caldo (unos tres cuartos de litro que será el de los garbanzos) y el arroz. Cuando rompa el hervor añadiremos el chorizo partido en rodajas.

Una vez cocido, batiremos los huevos y cubriremos con ellos el arroz, metiéndolo a horno fuerte hasta su total cocción.

34.   Arroz al estilo de Elche (2.ª forma)

Ingredientes para 4 personas:
500 gramos de arroz
1 pollo pequeño
1/2 conejo tierno
200 gramos de butifarra
2 dientes de ajo
150 gramos de garbanzos
200 gramos de longaniza
3 huevos crudos
1 cebolla
1 hoja de laurel
1 taza de desayuno llena
de aceite
agua
sal.

En una olla con litro y medio de agua cocer la longaniza junto con los garbanzos remojados desde la noche anterior, la cebolla y la hoja de laurel, añadiendo sal y dejándoles en el fuego hasta que los garbanzos estén tiernos.

En una sartén plana o paella con el aceite freiremos la butifarra cortada en rodajas; ya frita, la retiraremos reservándola y freiremos en el mismo aceite el pollo y el conejo cortado en trozos y adobados con sal y ajo picado. Moveremos hasta que esté dorado y lo cubriremos con agua y dejándolo en el fuego hasta que esté bien tierno. Ya casi en su punto, añadiremos los garbanzos cocidos y la longaniza, el caldo (de cocer los garbanzos) y el arroz [1]. Comprobaremos la sal dejándolo cocer por espacio de cinco minutos, pondremos la butifarra frita y los huevos bien batidos, metiéndolo a horno fuerte para que termine de cocerse y forme una costra dorada. Lo dejaremos reposar unos tres/cinco minutos antes de servirlo en la misma sartén plana o paella en que lo hicimos.

---

[1]   Aconsejamos medir el arroz y echar el doble de caldo que de arroz.

35.   Arroz al estilo de Valencia (1.ª forma)

Ingredientes para 4 personas:
4 tazones de arroz
10 tazones de agua
200 gramos de pollo
2 pichones
8 salchichas
200 gramos de lomo de cerdo
3 dientes de ajo
1 tomate
perejil fresco
pimienta blanca en polvo
1 clavo de especia
2 alcachofas

Se aconseja preparar este arroz en un utensilio chato a propósito, cuyo fondo sea igual a la hornilla donde vaya a cocerse y el fuego si puede ser de leña o carbón bien encendido mucho mejor. Echaremos la manteca al recipiente y cuando esté dorada la grasa, se fríen en ella los pimientos, que apartaremos cuando esten ya fritos, echando en su lugar trozos de pollo, pichones, lomo de cerdo y las salchichas. Cuando todo esté dorado añadiremos los dientes de ajo, pelados y cortados, el tomate, perejil, sal, pimienta y clavo, dejándolo freír todo, agregando alcachofas cortadas a pedazos y los guisantes desgranados. Le daremos otro par de vueltas añadiendo el pimentón, dos tazones de agua caliente

25

250 gramos de guisantes
1/2 cucharada sopera
de pimentón rojo dulce
4 pimientos
50 gramos de manteca de cerdo
sal.

(o caldo) antes de que el pimentón molido se queme, dejándolo hervir hasta que las carnes se ablanden.

Cuando esté cocido, avivaremos el fuego, agregaremos el resto del agua y cuando hierva a borbotones echaremos el arroz hasta que moviéndolo con una cuchara ésta se mantenga derecha, puesta en medio de la cazuela. Lo dejaremos cocer a fuego fuerte, agregándole los pimientos que apartamos anteriormente.

A mitad de su cocción moderaremos el fuego dejando que termine muy despacio y sin tocarlo ni moverlo. Cuando está hecho se aparta y que repose un poco, como unos cinco minutos, sirviéndolo en el mismo utensilio en que se cocinó.

36. Arroz al estilo de Valencia (2.ª forma)

Ingredientes para 4 personas:
500 gramos de arroz
1 pollo pequeño
200 gramos de lomo
200 gramos de congrio
200 gramos de calamares
150 gramos de langostinos
100 gramos de longaniza
200 gramos de guisantes desgranados
200 gramos de tomates (frescos o de conserva)
100 gramos de judías verdes
6 alcachofas
12 almejas
3 pimientos encarnados (frescos o de conserva)
100 gramos de cebollas
3 dientes de ajo
7 cucharadas soperas de aceite
1 cucharilla de café de pimentón rojo dulce

Pondremos al fuego en una cacerola la mitad del aceite friendo en ella el pollo, el lomo y las salchichas, todo cortado a pedazos; ya frito, agregaremos la cebolla muy picada, y los dientes de ajo picados; rehogando durante unos minutos y agregando los tomates y pimientos, mondados y sin simiente; les daremos unas vueltas y adicionaremos los calamares bien limpios (siendo preferibles los más pequeños), los langostinos, el congrio cortado en trozos y las almejas desprovistas de la mitad de las conchas; sazonaremos con sal, pimienta y pimentón dejándolo cocer a fuego bajo durante diez minutos.

Mientras tanto mediremos el arroz y prepararemos el doble de cantidad de agua (o caldo) que tendremos en un cazo sobre el fuego para que esté caliente.

Pondremos en otra cacerola un poco de aceite, cuando esté caliente echaremos el arroz rehogándolo a fuego vivo y revolviendo con una cuchara de madera para que no se tueste. Estará a punto cuando, al moverlo, haga ruido, como si fuera grijo o arena. Agregaremos entonces la fritada anterior y las hortalizas y, después de darle unas vueltas al conjunto, añadiremo el agua medida.

perejil fresco
6 hebras de azafrán
pimienta blanca en polvo
sal
agua.

Picaremos un diente de ajo, las hebras de azafrán y el perejil, desliéndolo con un poco de caldo y agregándolo también en el guiso. Rectificaremos la sal.

Ya roto el hervor escogeremos para terminar la cocción del arroz el método que más guste, o bien introducirlo en el horno, o bien cocerlo destapado y a fuego moderado durante 25 minutos. A medio cocer se revuelve un poco el arroz con una cuchara de madera para que los tropiezos no queden encima; no hay que tocarlo más.

Antes de sevirlo tendrá unos cinco minutos en reposo fuera del horno.

Si se hace sobre el fuego, ya roto el hervor, se deja en ebullición durante 25 minutos, retirándolo entonces del fuego y dejándolo reposar durante tres minutos, acabando así de absorber el caldo quedando el arroz suelto y a punto de servirse.

Después de cocido el arroz siempre se le ha de dar un reposo de unos minutos; calcúlese, por tanto que entre la preparación de los ingredientes, cocción del conjunto y reposo se han de necesitar una hora y media.

Para servirlo adornaremos la preparación con los pimientos cortados a tiras. Podemos servirlo en la misma cacerola o bien amontonado en una fuente o moldeado.

37.   Arroz al estilo de Valencia (3.ª forma)

Ingredientes para 4 personas:
500 gramos de arroz
1 pollo
3 tomates
2 pimientos
100 gramos de caracoles
100 gramos de longaniza
200 gramos de pescado blanco
·6 cogollos de alcachofa
100 gramos de guisantes tiernos
1 cucharada sopera de pimentón

Prepararemos una paella al fuego y en ella con el aceite freiremos el pollo cortado en pedazos. Cuando se vaya dorando añadiremos el tomate picado y los pimientos cortaditos. Cuando todo esté frito, echaremos el agua correspondiente (dos tazas de agua salada hirviendo por cada una de arroz) el pimentón y el azafrán.

Cuando haya cocido un poco agregaremos los caracoles, la longaniza, los trozos de pescado, los guisantes y los cogollos de las alcachofas, dejándolo cocer otro poquito y poniendo más agua, si es preciso, para cocer el arroz. El arroz se echará cuando el caldo hierva a borbotones y empezará a cocer con fuego vivo, moderándolo cuando esté a media cocción. No debe moverse. Así que esté hecho, se aparta y termina su cocción y tuesta con fuego en la tapadera o bien en el horno.

---

[1] Congrio, mero, rape.

38. Arroz al estilo de Valencia (4.ª forma)

Ingredientes para 4 personas:
400 gramos de arroz
200 gramos de judías verdes
2 tomates
1 diente de ajo
perejil fresco
4 alcachofas
azafrá en hebra
6 cucharadas soperas de aceite
agua
250 gramos de guisantes.

En una cacerola al fuego con el aceite rehogaremos el ajo, perejil y cebolla, todo bien picado, añadiendo los tomates, también picados y removiéndolo con la paleta, procurando que el fuego no esté muy fuerte. Entonces echaremos el arroz y le daremos un par de vueltas para que tome color. Por separado tendremos cocidos los guisantes, las judías verdes y los cogollos de alcachofas; todo esto se rehoga también con el arroz. Cubriremos con el doble de agua caliente y sazonaremos con sal y unas hebritas de azafrán, dejándolo cocer destapado durante quince minutos, luego se mete en el horno hasta que se quede seco del todo y se sirve en la misma cacerola.

39. Arroz en bolas con higaditos

Ingredientes para 4 personas:
400 gramos de arroz
1 cebolla pequeña
150 gramos de higaditos de pollo o gallina
250 gramos de carne de ternera picada
1 vasito de vino blanco seco
100 gramos de champiñones de lata
100 gramos de harina, 3 huevos
100 gramos de pan rallado
1/4 litro de aceite, acaso menos
50 gramos de mantequilla
caldo de carne o agua, sal.

Procederemos a cocer o hervir el arroz en el caldo de carne o en el agua, en su defecto, unos 20 minutos. Cocido, lo escurriremos dejándolo en una fuente o plato.

Freiremos la cebolla pelada y picada en la mantequilla añadiéndole la carne, los higaditos picados y los champiñones también muy picados, les echaremos sal y vino blanco dejándolos cocer unos 10/12 minutos.

Haremos unas bolas con el arroz (estará ya casi frío) practicando un agujero en su centro y colocando en él lo preparado anteriormente, cerraremos el agujero, las pasaremos por harina, después por los huevos bien batidos, seguidamente por el pan rallado y, por último, las freiremos en el aceite caliente sirviéndolas recién hechas a la mesa.

PAELLAS

Ya en la introducción citábamos la importancia que tiene el arroz en la Cocina Levantina, pero si ese arroz está hecho en la paella clásica de la región su valor aumenta considerablemente.

La paella, propiamente dicha, es un guiso de arroz con una serie de ingredientes que se cococina en una paella (de ahí su nombre), que no es otra cosa que un recipiente o sartén especial con dos asas y que, generalmente, está hecho de hierro dulce y que, según los expertos, se ha trabajado con «batido de martillo de calderero».

Las dimensiones de las paellas varían en función a los comensales, así tenemos de 28 cm. de diámetro para un comensal, 32 cm. de diámetro para dos comensales, 34 cm. de diámetro para tres comensales, 36 cm. de diámetro para cuatro comensales, 38 cm. de diámetro para cinco comensales, 40 cm. de diámetro para seis comensales, 42 cm. de diámetro para siete comensales, 44 cm. de diámetro para ocho comensales y de 46 cm. de diámetro para 10 comensales.

Sobre la paella existen muy diversas opiniones. La preparación de la paella, sobre todo la llamada «a la valenciana», es cuestión de discusión y controversia. Sería muy difícil hallar dos cocineros (profesionales o aficionados) que la hiciesen de igual forma.

Según documentadas opiniones, la paella valenciana no debe estar compuesta más que por judías tiernas o «cerraúra» (como se dice en valenciano) y otros tipos de verduras, juntamente con caracoles. En efecto, grandes caracoles que, unidos al pollo troceado y a un buen sofrito y a estar cocido el arroz en todo ello y el caldo de carne o agua (en su defecto), resulta una extraordinaria paella, que se come después acompañada de una buena ensalada.

No obstante lo dicho, hemos leído en los diccionarios de la lengua la definición de la paella valenciana como un guiso seco, el cual permite la incorporación de costillas de cerdo, conejo, chorizo, mariscos...

Por ello ofrecemos aquí varias fórmulas de paella para poder elegir la que más nos agrade o se amolde a nuestras necesidades. No olvidemos que la vista de una paella es sin duda un recreo tanto por la visión como por el olor delicioso que se desprende de ella.

Y... ¡un último consejo! Seguir fielmente la receta, tanto en cantidades como en tiempo de cocción, es muy importante atenerse a las indicaciones que damos en cada fórmula, ya que están comprobadas y son realmente prácticas.

40. Paella casera

En una paella al fuego echaremos el aceite, el ajo y la cebolla, el pollo y el cerdo troceado y el tomate frito.

Rehogaremos todo añadiendo el arroz, el agua y la sal, moviéndolo bien con la cuchara de palo.

Antes de que rompa a hervir echaremos los guisantes, las almejas y los mejillones, muy limpios, y el azafrán. Lo dejaremos cocer a fuego lento durante 15 minutos, procurando que hierva por todos lados al mismo tiempo y colocando por encima los pimientos cortados a tiras.

Al retirar la paella del fuego es conveniente dejarla tapada con un paño durante unos minutos para que el arroz se asiente antes de presentarlo a la mesa.

41. Paella mixta (1.ª forma)

En la paella al fuego, incorporaremos las cosas por este orden: primero el aceite, rehogando en él el pollo troceado y con sal y dorando el ave, añadiremos después la cebolla, tomate, ajo y azafrán. Adicionaremos el agua y haremos hervir el conjunto apartando los guisantes.

Cuando la ebullición sea fuerte rectificaremos de sal y añadiremos el arroz, muy repartido, igualando el espesor. A los ocho minutos incorporaremos el pescado, repartido y cortado en trozos, colocaremos las cigalas, los mejillones y las gambas. Que siga el hervor sobre el fuego, o en el horno fuerte, ocho minutos más. Pasados los cuales lo taparemos y dejaremos reposar unos cinco minutos. Serviremos el arroz con trozos de limón.

NOTA: El orden señalado al principio lo hemos puntualizado para facilitar así que todos los ingredientes estén en su punto, cuando el arroz haya terminado su cocción.

42.   Paella mixta (2.ª forma)

Ingredientes para 4 personas:
400 gramos de arroz
200 gramos de lomo
300 gramos de congrio
200 gramos de salchichas
1 pollo pequeño
200 gramos de guisantes
100 gramos de judías verdes
200 gramos de calamares
300 gramos de tomates
200 gramos de langostinos
2 decilitros de aceite
3 pimientos rojos de lata
12 mejillones
4 dientes de ajo
azafrán en hebra
pimienta blanca en polvo
8 hermosos caracoles
perejil fresco
sal.

Colocaremos sobre fuego vivo una paella con el aceite, así que esté bien caliente, añadiremos el pollo y el lomo cortado en trozos, rehogándolos hasta que tengan un bonito color dorado y, a continuación, agregaremos los calamares cortados en forma de anillo, el congrio en rodajas, las salchichas, los ajos trinchados, el pimentón y el tomate mondado y picado y seguiremos rehogando durante unos minutos, añadiendo litro y medio de agua; sazonaremos con sal y pimienta, cociéndolo a fuego lento por espacio de 15 minutos. Pasado este tiempo, mezclaremos el arroz, echándolo en forma de lluvia, incorporaremos los langostinos, el azafrán y los ajos (machacados al mortero), los pimientos, los caracoles y los mejillones previamente hervidos y quitada media cáscara vacía, dejándolo cocer durante unos 20 minutos, a media cocción y sirviéndonos de un tenedor, arreglaremos los ingredientes bien, dándoles una forma bonita y terminando el adorno con los guisantes y las judías verdes que se tendrán previamente hervidos con agua y sal.

Antes de servirla, espolvorearemos la paella con perejil fresco muy picado.

43.   Paella del hogar

Ingredientes para 4 personas:
400 gramos de arroz
3/4 de litro de agua o caldo
200 gramos de restos de carnes o
pescados asados o fritos
3 cucharadas soperas de aceite
20 gramos de cebolla rallada
2 dientes de ajo
50 gramos de tomate (o su equi-
valente en salsa)
50 gramos de chorizo de cocinar
1 papeleta de azafrán en hebra
10 gramos de pimentón rojo dulce
sal.

Calentaremos el aceite en una paella puesta al fuego y en ella freiremos la cebolla, el tomate (pelado y troceado) o echaremos la salsa, el chorizo cortado en rodajas, el ajo muy picado, los restos de carnes o pescados y el arroz, dando unas vueltas e incorporando el azafrán y el pimentón. Echaremos el agua hirviendo y sal. Coceremos el arroz cinco minutos a fuego muy fuerte y 15 más a fuego suave. Antes de servirlo reposará cinco minutos fuera del fuego.

En tiempos de pimientos, podemos echar algunos cortados a trozos. También las habas y las judías verdes pueden dar gusto exquisito a esta paella.

44. Paella de verduras del tiempo

Ingredientes para 4 personas:
400 gramos de arroz
3/4 de litro de agua
1 huevo duro
200 gramos de judías verdes
5 cucharadas soperas de aceite
1 zanahoria, 1 tomate
1/2 cebolla, 2 dientes de ajo
perejil fresco, sal
2 pimientos verdes
un puñado de habas tiernas o de
guisantes o de patatitas nuevas.

Echaremos el aceite en la paella al fuego y así que esté caliente rehogaremos la cebolla, el tomate, la zanahoria, el ajo y el perejil, todo muy picado. Añadiremos el agua muy caliente.

Seguidamente echaremos los pimientos, las judías verdes o los guisantes, habas o patatas. Después de un hervor de cinco minutos, incorporaremos el arroz bien repartido dejando cocer el conjunto durante 15 ó 16 minutos.

También podemos hacerlo de otra manera: cociendo las legumbres aparte e incorporándolas al arroz.

45. Paella de mariscos

Ingredientes para 4 personas:
500 gramos de arroz
1 litro de agua
1 langosta cocida
6 gambas, 6 cigalas
12 mejillones, 2 sepias
50 gramos de tomates
2 cebollas grandes
1 cabeza de ajo
1 hoja de laurel
perejil fresco
1/4 litro de aceite, sal.

Coceremos en el agua uno de los tomates, la cabeza de ajos, una de las cebollas, sal, el laurel y un poco de perejil, dejándolo cocer 15 minutos. Pondremos en la paella el aceite y rehogaremos en ella los mariscos (la langosta pelada y cortada a discos su carne y los demás mariscos limpios y crudos) con el resto de la cebolla cortada fina y los tomates. Rehogaremos el arroz añadiendo tres cuartos de litro de caldo hecho anteriormente, hirviendo. Coceremos la paella a fuego vivo durante 25 minutos.

Este arroz se sirve recién hecho, y en la misma paella de cocción.

46. Paella de pollo

Ingredientes para 4 personas:
400 gramos de arroz
3/4 de litro de agua

En una paella puesta al fuego echaremos el aceite y, cuando esté caliente, añadiremos la cebolla y el pollo, con un poco de sal, que se rehogue bien. Incorporaremos el arroz,

2 pastillas de caldo concentrado
1 pollo de 1.200 gramos de peso
cortado a trozos
200 gramos de guisantes de lata
50 gramos de cebolla
50 gramos de salsa de tomate
6 cucharadas soperas de aceite
1 papeleta de azafrán en hebra
sal.

removiéndolo bien para que se fría un poco y, a continuación, adicionaremos los guisantes y el agua, en la que habremos disuelto las pastillas de hacer caldo y que estará hirviendo, añadiremos también el azafrán, probando cómo está de sal. Coceremos el arroz a fuego fuerte, los primeros cinco minutos, y a fuego lento el resto hasta un total de 15/20 minutos.

Cuando retiremos del fuego el arroz, lo taparemos con un papel de aluminio y otro de periódico, dejándolo reposar cinco minutos antes de servirlo a la mesa.

47. Paella de conejo

Ingredientes para 4 personas:
400 gramos de arroz
1 litro de agua
1 conejo de 1 kilo de peso cortado
a trozos
1 tomate, 2 dientes de ajo
1/2 cebolla, azafrán en hebra
20 gramos de pimentón rojo
dulce
200 gramos de alubias verdes
200 gramos de guisantes
200 gramos de setas
2 pimientos, sal
4 cucharadas soperas de aceite

En la paella clásica, al fuego con el aceite prepararemos un sofrito compuesto por la cebolla, tomate y dientes de ajo, añadiendo (así que tome color) el conejo troceado, las alubias verdes, los guisantes, las setas limpias y enteras, los pimientos cortados a cuadros, y el agua caliente. Echaremos sal y lo dejaremos cocer unos 10 minutos. Incorporaremos el arroz y removeremos bien echando el azafrán, pimienta y sal. Que cueza de nuevo cinco minutos, a fuego fuerte y el resto hasta 15 ó 20 minutos a fuego lento.

Serviremos la paella recién hecha a la mesa y muy caliente.

48. Paella a la alicantina (1.ª forma)

Ingredientes para 4 personas:
4 cucharones llenos de arroz
4 ñoras (pimientos secos)
1 taza de desayuno llena de aceite
3 dientes de ajo
2 tomates
4 alcachofas frescas
100 gramos de guisantes frescos
desgranados

En el recipiente especial de hacer la paella puesto al fuego echaremos el aceite y freiremos en él las ñoras o pimientos secos, después de quitado su rabito y pepitas, ya fritos los retiraremos y reservaremos, echando entonces los dientes de ajo picados, los tomates sin piel y machacados, las alcachofas troceadas (que serán muy tiernas) y los guisantes, rehogaremos bien y añadiremos el arroz uniéndolo perfectamente y poniéndole el azafrán y el pimentón encarnado. El agua, que

pimienta blanca en polvo
2 papeletas de azafrán en hebra
1 cucharada sopera llena de pimentón rojo dulce
150 gramos de rape
150 gramos de congrio
12 mejillones
agua
sal.

ya estará calculada (el doble que de arroz), debe ser caliente cuando la incorporemos a la paella; añadiremos la sal y los pimientos que teníamos reservados, después de bien machacados en el mortero y deshecho en parte del agua. Lo dejaremos hacer durante cinco minutos a fuego vivo, y durante 15 minutos a fuego más suave. Serviremos el arroz en el mismo recipiente de cocción.

49. Paella a la alicantina (2.ª forma)

Ingredientes para 4 personas:
500 gramos de arroz
3 pimientos verdes medianos
3 tomates
8 alcachofas
500 gramos de carne de cerdo
pimentón rojo dulce
azafrán
7 cucharadas soperas de aceite
agua.

Prepararemos al fuego una paella y en ella freiremos el aceite con los pimientos procurando hacerlo con rapidez y muy poco, porque se queman en seguida. Cuando estén fritos, se retiran y dejan en un plato y, en el mismo aceite, freiremos los ajos, los tomates y las alcachofas todo cortado a trozos.

Cuando esté rehogado agregaremos el arroz, dándole vueltas, después el azafrán y el pimentón molido cubriéndolo de agua (el doble de ésta que de arroz) y cuando cueza la incorporaremos la carne de cerdo troceada, dejándolo que se haga a fuego vivo.

Entonces machacaremos bien los pimientos en el almirez; deshaciéndolos con agua y adicionándolos al arroz, dejándolo cocer sin tocarlo y moderando el fuego cuando esté medio cocido.

Este arroz debe quedar entero, cocido y seco.

50. Paella a la valenciana (1.ª forma)

Ingredientes para 4 personas:
4 tazas de desayuno de arroz de clase extra
8 tazas de desayuno de caldo
1 pollo de 750 gramos de peso
12 caracoles
100 gramos de judías verdes o blancas, pero que sean frescas
4 alcachofas

El pollo será tierno, después de bien limpio lo cortaremos en seis u ocho trozos, pondremos una paella al fuego con aceite ya quemado anteriormente con dos dientes de ajo y retirados éstos.

Rehogaremos bien media cebolla picada y dos tomates pelados, pondremos después el pollo, y cuando haya tomado color le añadiremos un poco de ajo picado; en seguida echaremos el caldo y cuando rompa a hervir agregaremos el

250 gramos de guisantes con vaina
3 dientes de ajo
1 cucharada sopera de pimentón dulce dulce
2 papeletas de azafrán en hebra
1 cebolla
2 tomates
6 cucharadas soperas de aceite
sal.

arroz en forma de lluvia, incorporando acto seguido las judías verdes cortadas a trozos, los guisantes sin vaina, las alcachofas partidas en cuatro, los caracoles bien limpios, sal, el pimentón rojo y el azafrán.

Comenzaremos el primer hervor a fuego vivo (cinco minutos) y cuidaremos que el resto de la cocción (quince minutos) lo haga poco a poco.

Serviremos el arroz cuando esté hecho (debe quedar suelto) y en la misma paella de cocción.

51. Paella a la valenciana (2.ª forma)

Ingredientes para 4 personas:
400 gr de arroz; 3/4 de litro de agua o caldo; 1 pato de 800 gr de peso; 150 gr de lomo de cerdo o carne magra de cerdo cortada en cuatro trozos; 4 salchichas medianas enteras; 50 gr de jamón cortado a dados; 1 calamar grande cortado en aros; 18 almejas o mejillones previamente cocidos en poca agua para que se abran, retirando después una de las valvas y reservando la que contiene el molusco para el arroz; 4 langostinos o gambas; 300 gr de rape; 2 docenas de vaquetes (caracoles) bien limpios; 6 cucharadas soperas de aceite 150 gr de judías llamadas de «garrafón»; 1 pimiento fresco rojo o verde; 2 alcachofas medianas sin puntas ni hojas duras cortadas a trozos y hervidas aparte; 150 gr de tomates medianos pelados y picados; 20 gr de pimentón rojo dulce; 1 diente de ajo grande; hebras de azafrán; 50 gr de guisantes cocidos; 1 limón; perejil fresco; sal; pimienta blanca molida.

Lo haremos en la clásica paella valenciana, puesta al fuego con el aceite, friendo en ella el pollo, cortado en ocho trozos, y el lomo, espolvoreados ambos con sal; el jamón y las salchichas. Los doraremos bien, añadiendo el pimiento cortado a cuadros pequeños, el ajo picado, las judías, las alcachofas y los calamares. Continuaremos el rehogo cuidadosamente, adicionándole, si es preciso, un poco más de aceite o manteca de cerdo; luego agregaremos el tomate, el pimentón, los vaquetes y los langostinos o gambas.

Removeremos bien con la espumadera para que el rehogado sea total y, por último, añadiremos el arroz, los guisantes, el rape y las almejas, echaremos el agua o caldo caliente (sin olvidar el líquido en que se han cocido las almejas, pasado por un colador fino). Cocerá vivamente al principio y suavemente después. Rectificaremos de sal y adicionaremos un poco de pimienta y el azafrán ambos pulverizados. A partir de este momento, el arroz no deberá removerse más. A medida que avance la cocción, se va rebajando la presión del fuego y se acaba de cocer en el horno, a ser posible. Un poco de perejil picado por encima le va muy bien.

Antes de servirlo a la mesa lo dejaremos reposar unos minutos, sirviéndolo con cuatro trozos de limón.

52. Paella a la valenciana (3.ª forma)

Ingredientes para 4 personas:

400 gramos de arroz
3/4 de litro de agua o caldo
1/2 pollo troceado de unos 800 gramos de peso
1/2 conejo troceado de unos 500 gramos de peso
700 gramos de verduras del tiempo como: guisantes, pimientos asados, «garrafón»
100 gramos de tomate
2 cebollas
1 papeleta de azafrán en hebra
2 dientes de ajo
3 cucharadas soperas de aceite
300 gramos de anguila
sal
200 gramos de caracoles de monte bien limpios.

Prepararemos el fuego y reduciremos la llama, emplazando sobre él la paella, echaremos el aceite y rehogaremos el pollo y el conejo, los ajos, la cebolla y trozos de tomate picado. Adicionaremos la anguila, los caracoles y las verduras, añadiendo el agua o caldo caliente y haciendo hervir el conjunto. A los cinco minutos echaremos el arroz en forma de lluvia repartiéndolo bien, e igualando el espesor y la distribución de la guarnición. Rectificaremos de sal y reduciremos el fuego para que no se «socarre» demasiado.

Pondremos la tapa, y sobre ésta colocaremos brasas (si se tienen).

Ha de hervir 16 minutos. Pasado este tiempo aminoraremos el fuego lo más posible. A los cuatro minutos de reposo podremos ya servirlo.

Cuando se ha echado el arroz y se ha distribuido, a fin de igualar el espeso del guiso, éste se tapa y no se vuelve a tocar. Hay un provervio valenciano muy significativo: «Eres peor que el arroz revuelto».

---

[1] Judías.

53. Paella a la valenciana (4.ª forma)

Ingredientes para 4 personas:

400 gramos de arroz superior
1/2 vaso de aceite o manteca de cerdo
1 pollo tierno troceado
200 gramos de carne magra de cerdo
100 gramos de jamón
10 salchichas frescas
1 cebolla
2 pimientos de lata rojos o verdes frescos

Pondremos en una paella, sobre el fuego, el aceite fino o, en su lugar, la manteca de cerdo, empezando por freír bien el pollo tierno cortado en ocho trozos, el magro fresco de cerdo, fraccionado en trozos del tamaño de aceitunas grandes, el jamón magro, también en trocitos y las salchichas frescas que serán pequeñas.

Removeremos todo ello con una espumadera o paleta haciendo que se dore por un igual. Logrado el anterior detalle, echaremos la cebolla trinchada y los pimientos morrones cortados en trocitos, las alcachofas divididas en cuatro trozos por su largo y las judías blancas.

Continuaremos el rehogado cuidadosamente, y acto se-

100 gramos de judías blancas hervidas
2 alcachofas
24 caracoles (vaquetes)
2 dientes de ajo
perejil fresco picado
1 hoja de laurel
3 tomates
1 cucharada sopera de pimentón rojo dulce
caldo de carne
200 gramos de guisantes cocidos
2 papeletas de azafrán hebra
sal.

guido incorporaremos las dos docenas de caracoles previamente limpios y cocidos.

A continuación adicionaremos un poco más de aceite, ajo y perejil picado y una hoja de laurel. Seguiremos rehogando el conjunto, poniendo especial atención en que los elementos de la paella se frían todos por un igual. Echaremos después dos o tres tomates mondados y trinchados. Al terminarse este magnífico rehogado, que es la principal característica de la paella valenciana, echaremos el arroz y un poco de pimentón dulce encarnado. Rehogaremos de nuevo el conjunto, o sea todos los componentes, con el arroz, añadiendo luego el caldo de carne o, a falta de éste, se puede hacer simplemente con agua hirviendo, calculando el doble de líquido que de arroz en crudo. Por último los guisantes cocidos. Removeremos el arroz con la paleta a fin de que todo quede bien suelto y echaremos la sal y un poquito de azafrán.

Al principio hay que imprimir al arroz una cocción regular y baja; pasados dos o tres minutos, dejaremos de remover e introduciremos la paella al horno para que termine de cocerse con fuego lento y fuerte y se tueste la superficie durante unos 14 minutos. A falta de horno, se puede hacer a fuego abierto colocando encima de la paella una tapadera de hojalata con carbón encendido.

La paella se servirá una vez hayan transcurrido tres o cuatro minutos de haber terminado la cocción y siempre en el mismo recipiente en que la hemos hecho.

Capítulo II

SOPAS, COCIDOS, POTAJES Y OLLAS

54. Sopa de mariscos a la levantina

Ingredientes para 4 personas:
2 tomates
2 dientes de ajo
1 hoja de laurel
azafrán en hebra
300 gramos de rape
300 gramos de gallina de mar
1 vasito de aceite
300 gramos de salmonetes
1/2 docena de cangrejos o né-
coras
2 puerros
1 zanahoria
perejil fresco
1 limón
pimienta blanca en polvo
300 gramos de gambas
3/4 kilo de mejillones
1 vaso de vino blanco
1 vasito de ron
agua
pan frito
sal.

Limpiaremos el pescado de pieles y lo pondremos bien partido en una fuente honda. Los mejillones bien lavados y limpios los abriremos al vapor con el vino blanco, reservando el caldo que suelten. Quitaremos las cáscaras y lo dejaremos en la fuente con el pescado, junto con las gambas enteras y los cangrejos sin las patas y partidos por su mitad. Echaremos encima todo el caldo de los mejillones, sal, laurel, pimienta y un ajo machacado en el mortero con azafrán, un poco de zumo de limón y unas gotas de ron, dejándolo macerar todo ello durante unas dos horas.

Pondremos a cocer las espinas y los desperdicios del pescado con unos trozos de cebolla, la zanahoria y unos dos litros de agua; pasada media hora lo retiraremos y colaremos.

Freiremos en una cazuela, con aceite, los puerros partidos en rodajas finas, ajos y media cebolla, todo muy picado; lo freiremos bien, añadiendo los tomates pelados, limpios y partidos en trozos pequeños, ya frito echaremos el caldo del pescado y los pescados puestos a macerar. Coceremos de nuevo todo esto por espacio de un cuarto de hora retirándolo del fuego.

Colocaremos el caldo en una sopera y añadiremos los trozos de pan frito. Pondremos el pescado en una fuente y lo serviremos con una salsa fría.

Con esta receta se obtienen a modo de dos platos.

55. Sopa de pescado a la levantina

Ingredientes para 4 personas:
1 kilo de pescado [1] variado
300 gramos de tomates
2 cebollas
2 puerros
1 1/2 litros de caldo de pescado (o
de agua)
8 cucharadas soperas de aceite

Cortaremos el pescado en trozos y pelaremos los tomates cortándoles a trozos. Picaremos finamente las cebollas y la parte blanca de los puerros, poniendo todo en una olla o puchero de unos cuatro litros de cabida. Agregaremos perejil, laurel, un poco de tomillo y otro poco de orégano, el ajo y el azafrán, colocando encima el pescado, echaremos sal y pimienta, vertiendo caldo de pescado, o agua, hasta dejarlo

unas hebras de azafrán
1 diente de ajo
perejil fresco
tomillo
1 hoja de laurel
orégano
150 gramos de pan
pimienta blanca en polvo
sal.

cubierto, añadiremos el aceite y, cuando rompa el hervor, lo mantendremos cociendo a borbotones durante 15/20 minutos.

Mientras tanto, cortaremos el pan en rebanadas que colocaremos en una sopera honda. Pasaremos el caldo y, caliente, lo verteremos sobre el pan. Serviremos la sopa, enviando en una fuente, aparte, el pescado.

---

[1] Pescados blancos: rape, mero, merluza; también algún marisco: langostino, cigalas, gambas.

56. Sopa de pescado a la alicantina

Ingredientes para 4 personas:
600 gramos de pescado variado
y marisco (langostinos, gambas,
pescadilla)
5 cucharadas soperas de aceite
1 cebolla, 2 tomates
1 cucharilla de café de pimentón
rojo dulce
pimienta blanca en polvo
1 sobre de azafrán hebra
1 limón, 100 gramos de harina
un poco de tomillo
perejil fresco
2 huevos duros, pan frito
400 gramos de guisantes frescos
cocidos
caldo de pescado, sal

Limpiaremos el pescado de pieles y espinas y lo pasaremos por la harina (después de haberle echado sal) friéndolo en parte del aceite. Una vez frito lo reservaremos en un plato salpicándolo con gotas de limón. En la grasa sobrante freiremos la cebolla y los tomates, ambos pelados y muy picados añadiéndoles el pimentón, el azafrán y un poco de pimienta y sal, aromatizado el conjunto con tomillo. Uniremos este sofrito con el pescado y el caldo de pescado, en un puchero que pondremos al fuego a que hierva sólo cinco/ocho minutos. Serviremos la sopa con los guisantes, los huevos duros pelados y picados y los panes fritos.

57. Sopa de arroz a la valenciana

Ingredientes para 4 personas:
200 gramos de arroz
1 1/2 litro de caldo del cocido o
caldo preparado de antemano
50 gramos de puré de tomate

Rehogaremos muy bien el arroz en el aceite con el tomate, agregándole el caldo hirviendo, la hierbabuena, el perejil y el ajo picadísimos, y dejándolo cocer hasta que el arroz esté tierno; entonces le quitaremos la hierbabuena, le echaremos un chorrito de limón y lo serviremos seguidamente.

1 diente de ajo
una ramita de hierbabuena
perejil fresco muy picado
1 cucharada sopera de aceite
1 limón.

Esta sopa se sirve en sopera muy caliente, pudiendo añadirle trocitos de pan frito a la hora de presentarla a la mesa.

No precisa sal ya que al hacerse con caldo éste ya la lleva.

58. Sopa de arroz y col

Ingredientes para 4 personas:
500 gramos de tocino magro
1 col valenciana mediana
300 gramos de arroz
2 cebollas
pimienta blanca en polvo
laurel
2 cucharadas soperas de vino blanco
40 gramos de manteca de cerdo harina, agua, sal.

Cortaremos la col muy fina y la coceremos en agua y sal durante diez minutos, escurriéndola luego. Las cebollas y la manteca de cerdo las pondremos en una cazuela hasta que se doren, añadiendo entonces un poco de harina y después la col, moviéndolo bien junto con dos litros de agua salada, el laurel y un poco de pimienta.

La dejaremos hervir durante media hora a fuego lento, añadiendo entonces el arroz y dejando que siga hirviendo durante 20 minutos más.

59. Sopa a la valenciana (1.ª forma)

Ingredientes para 4 personas:
2 cabezas de pescado blanco
algunos mariscos [1]
1 pimiento rojo de lata
3 cucharadas soperas de guisantes. 1 cebolla, perejil fresco
3 cucharadas soperas de pan rallado
50 gramos de arroz
2 cucharadas soperas de vino blanco
azafrán en hebra
2 dientes de ajo
1 vasito de aceite, sal.

Pondremos las cabezas de pescado y los mariscos en un puchero con agua fría, un diente de ajo, unas ramas de perejil y un trozo de cebolla. Cuando rompa a hervir retiraremos la espuma y dejaremos cocer durante media hora; pasada ésta colaremos el caldo por un pasador y añadiremos el pescado limpio de pieles y espinas, el pimiento picado muy menudo, los guisantes, el arroz y el pan rallado. Agregaremos también un sofrito hecho con aceite, un diente de ajo y el vino blanco, añadiendo agua hirviendo hasta conseguir el caldo necesario, sazonaremos con sal y azafrán y lo dejaremos cocer suavemente durante 30/40 minutos.

---

[1] Dos o tres cigalas y dos o tres gambas.

60. Sopa a la valenciana (2.ª forma)

Ingredientes para 4 personas:

*150 gramos de guisantes des-
granados, frescos o de lata
2 patatas, aceite, 2 tomates
100 gramos de arroz
1 hueso seco de jamón
150 gramos de habas frescas sin
piel o de lata
unas hojitas de col
pimienta blanca en polvo
1 ½ de agua, 1 cebolla
perejil fresco, sal.*

Pelaremos las patatas y las picaremos junto con las hojas de la col. En una olla honda, con el aceite, doraremos la cebolla (en trozos) y los tomates sin piel y picados. Añadiremos los guisantes y las habas, así como el hueso de jamón, sal y un toque de pimienta blanca. Incorporaremos las patatas, la col y el agua y que todo hierva durante cuatro minutos. Añadiremos después el arroz y el perejil picado, continuando la cocción hasta que el arroz esté en su punto, momento en el cual se puede ya servir la sopa.

61. Sopa de crema de arroz

Ingredientes para 4 personas:

*1 litro de leche
1 litro de caldo
1 decilitro de nata de leche cruda
60 gramos de harina de arroz
50 gramos de mantequilla
4 yemas de huevo
1 pellizco de azúcar
sal.*

Pondremos en una cacerola la harina de arroz, desliéndola con caldo frío para que no se formen grumos y sazonando con sal. Coceremos bien, removiéndola continuamente con una cuchara hasta que rompa el hervor y agregando entonces la leche hervida y fría. Cuando rompa de nuevo el hervor bajaremos un poco el fuego para que siga hirviendo muy suavemente durante doce o quince minutos (ha de cocer lo extrictamente necesario para que no adquiera sabor a cola).

Cuando se vaya a servir la sopa calentaremos la sopera; colocando en ella la mantequilla, partida en trozos, y las yemas. Removeremos un poco desliendo con la nata y echando la sopa, que ha de estar hirviendo. Podemos añadir unos costrones pequeños de pan frito. La serviremos muy caliente.

62. Sopa de tapioca

Ingredientes para 4 personas:

1 litro de buen caldo de carne

Ya preparado el caldo, lo pondremos al fuego en un puchero y, cuando rompa a hervir, echaremos la tapioca,

(puede ser de pescado si así se
desea)
4 cucharadas soperas de tapioca.

dejándolo cocer lentamente, removiendo constantemente con una cuchara de palo para que no se formen grumos. Se notará que está cocida cuando se ponga transparente. Suelen necesitarse unos 10 minutos de cocción.

63.   Sopa de ajo del Vinalopó

Ingredientes para 4 personas:
4 huevos
200 gramos de pan atrasado
2 vasos de aceite
1 cabeza de ajos
2 tomates
azafrán hebra
agua.

Se pone una sartén al fuego con aceite y se fríe el pan atrasado a rebanadas finas, retirándolo seguidamente a un plato y reservándolo.

En la misma grasa freiremos los ajos, previamente pelados y cortados, guardándolos también.

A continuación freiremos los tomates, los cuales dejaremos en una cazuela, añadiendo agua, sal y azafrán. Al empezar el hervor adicionaremos los ajos fritos y dejaremos cocer 15/20 minutos para que el caldo tome todo su sabor.

Poco antes de servirlo a la mesa echaremos el pan y escalfaremos los huevos, cuando los huevos estén hechos (la clara cuajada y la yema blanda) podemos presentar la sopa a la mesa.

64.   Sopa-crema de langostinos

Ingredientes para 4 personas:
200 gramos de langostinos
1 yema de huevo
100 gramos de mantequilla
30 gramos de harina de arroz
1 litro de leche
2 cucharadas soperas de nata
(puede suprimirse)
1 copita de coñac
pimienta blanca en polvo
pimienta de Cayena
agua
sal.

Coceremos los langostinos en agua hirviendo con sal. Una vez cocidos reservaremos dos colas de langostinos sin las cáscaras, pondremos las cáscaras de éstos y los langostinos restantes en un mortero, machacándolos hasta obtener una pasta fina.

Pondremos la harina de arroz en una cazuela, desliéndola poco a poco con la leche fría, cuidando de que no se formen grumos y colocando la cazuela al fuego, removiéndolo sin parar con una cuchara de palo para que la harina no se pegue en el fondo. Cuando esté en ebullición añadiremos la pasta de langostinos, hiérvase durante tres minutos. Retirado del fuego lo pasaremos por un tamiz fino, mejor aún por una estameña, volviéndolo a poner lo pasado en la misma cazuela previamente lavada.

Poco antes de servir la crema volveremos a ponerla al fuego, adicionándole una yema de huevo previamente desleída con unas cucharadas de la sopa, el coñac, sazonando con sal, pimienta blanca y una pizca de pimienta de Cayena. Lo coceremos sin parar de removerlo con una cuchara de madera, raspando bien el fondo para que no se agarre, una vez que haya cocido 10 minutos lo echaremos a una sopera, en la que habremos puesto la nata, la mantequilla dividida en trozos y las dos colas de langostinos partidas en trocitos regulares, sirviéndola rápidamente a la mesa.

Si la crema resultara demasiado gorda podemos afinarla con un poco de leche caliente.

65. Sopa cubierta

Ingredientes para 4 personas:
1 barra de pan duro
menudillos de un pollo
un poco de sangre de ave
1 huevo
zumo de 1/2 limón
1 diente de ajo
perejil fresco
caldo del cocido.

Cortaremos el pan a rebanadas finas dejándolo en una sopera y picando por encima muy finamente los menudillos y la sangre (que previamente habremos cocido en el puchero) el huevo duro, el ajo y el perejil, rociando el conjunto con el zumo de medio limón y echándole sal.

Con un cucharón iremos añadiendo caldo del cocido por encima de la sopa mientras el pan lo admita, este caldo estará muy caliente.

66. Consomé de arroz (estilo cocinero)

Ingredientes para 6 personas:
250 gramos de arroz
2 1/2 litros de consomé[1].

Lavaremos y escaldaremos el arroz, poniéndolo en una cazuela al fuego con agua fría y, una vez roto el hervor, lo coceremos durante cinco minutos a ebullición fuerte. Escurrido bien lo pondremos a cocer en una cazuela, añadiendo litro y medio de consomé y cociéndolo durante una hora. Cuando vayamos a servirlo a la mesa escurriremos el arroz, echándolo en un colador y de allí a una sopera y vertiendo por encima un litro de consomé hirviendo.

---

[1] Caldo de carne.

67. Cocido de col con habas tiernas

Ingredientes para 4 personas:

. 1 col valenciana
2 kilos de habas con calzón
1 hueso seco de jamón
100 gramos de tocino
agua
1 cucharada sopera de pimentón
rojo dulce
1 diente de ajo
3 cucharadas soperas de aceite
1 hoja de laurel
sal.

Procuraremos que sean habas tiernas y pequeñas, las pelaremos quitándoles el halla o uña que tienen.

Picaremos la col y dispondremos una olla echando en ella (todo en frío) la col picada, las habas desgranadas, el tocino cortado en cuatro trozos, el hueso de jamón y la hoja de laurel cubriendo todo con agua y poniendo la olla al fuego a que rompa a hervir. Salaremos el cocido a mitad de su cocción.

Freiremos en el aceite el diente de ajo cortado por la mitad añadiendo a este aceite el pimentón y vertiéndolo en el cocido, poco antes de servir éste a la mesa.

NOTA: Pueden añadirse patatas cortadas en trozos.

68. Potaje jijonenco

Ingredientes para 4 personas:

300 gramos de habichuelas secas
200 gramos de garbanzos secos
250 gramos de patatas
1 cebolla
4 cucharadas soperas de aceite
hierbabuena
azafrán hebra
agua
sal.

Los garbanzos, previamente puestos a remojo, los coceremos en una olla, juntamente con las habichuelas, también remojadas. Cuando todo esté tierno le agregaremos las patatas peladas y cortadas a trozos y sal.

En una sartén puesta al fuego con el aceite rehogaremos la cebolla, vertiendo este sofrito a la olla, adicionando al mismo tiempo un poco de hierbabuena y rectificando de sal, por si fuera necesario, pondremos el azafrán y que siga cociendo 10 minutos más antes de servirlo a la mesa.

69. Potaje de garbanzos y arroz

Ingredientes para 4 personas:

250 gramos de garbanzos secos
250 gramos de patatas
100 gramos de arroz
1 cucharón de aceite
1 cebolla picada
3 dientes de ajo

Coceremos los garbanzos, puesto a remojo desde la víspera, a cocer en agua hirviendo y sal; una vez tiernos agregaremos las patatas peladas y a trozos y el arroz.

Echaremos el aceite a la sartén al fuego friendo en ella los ajos, una vez dorados los retiraremos añadiendo la cebolla picada, friendo todo y añadiéndoselo a los garbanzos, así como los ajos y el azafrán, bien majados y desleídos con un

unas hebras de azafrán
pimienta negra en polvo
agua
sal.

poco de caldo; rectificaremos la sal, añadiremos un poco de pimienta y lo dejaremos cocer suavemente.

Si la salsa está fina la espesaremos aplastando dos cucharadas de garbanzos y agregándolas al potaje.

70. Potaje valenciano

Ingredientes para 4 personas:

500 gramos de garbanzos secos
2 dientes de ajo
perejil fresco
3 cebollas
4 granos de pimienta
400 gramos de espinacas
1 vasito de aceite
1 cucharada sopera de pimentón
rojo dulce
pan
agua
1 limón
3 yemas de huevo
sal.

Pondremos los garbanzos (ya remojados) a cocer en agua hirviendo, no mucha para que no se deshagan, añadiendo unas gotas de aceite crudo, los dientes de ajo enteros, unas ramitas de perejil, una de las cebollas, sal y dos granos de pimienta. Coceremos aparte las espinacas bien lavadas, que serán tiernas y las retiraremos y escurriremos bien, picándolas menudamente y rehogándolas en aceite muy caliente, en el que antes habremos frito, sin quemarlo, el pimentón rojo.

Incorporaremos las espinacas a los garbanzos agregando el resto de la cebolla, el perejil, los otros dos granos de pimienta y una tostada de pan, todo ello frito y pasado por un colador fino después de machacarlo bien en el mortero.

Hervirá todo junto durante media hora, y al sacarlo a la mesa y ya en la sopera, incorporaremos a la sopa las yemas de huevo batidas con jugo de limón y un poco de agua fría, revolviendo muy rápidamente y con fuerza para que no se corten.

71. «Llegumet» (potaje)

Ingredientes para 4 personas:

500 gramos de habichuelas secas
250 gramos de nabos
3 docenas de «xonetes» [1]
250 gramos de arroz
500 gramos de pencas [2] de acelgas
400 gramos de patatas
3 cucharadas soperas de aceite
1 ñora [3]

Coceremos las habichuelas (remojadas desde la víspera) en una olla con bastante agua y, a las dos horas, les añadiremos los nabos pelados y picados y los caracoles muy limpios.

Cuando las habichuelas estén casi cocidas incorporaremos las pencas de acelgas cortadas en trozos pequeños.

En una sartén al fuego freiremos la ñora que guardaremos en un plato y el aceite sobrante lo echaremos en la olla.

Cuando las pencas lleven una hora cociendo, agregaremos las patatas peladas y cortadas a trozos y la salsa hecha con la ñora majada en el mortero, sal, clavillo, pimienta y azafrán.

pimienta blanca en polvo
1 clavillo
azafrán hebra
agua
sal.

Media hora después echaremos el arroz y, a los 15 minutos de cocción ya estará el potaje listo para servir a la mesa.

---

[1] Caracoles.
[2] Parte blanca de la acelga.
[3] Pimiento seco.

72. Moros y cristianos

Ingredientes para 4 personas:
400 gramos de judías negras
secas
1/4 kilo de arroz
perejil fresco
4 cucharadas soperas de aceite
1 cebolla, 1 diente de ajo
1 hoja de laurel, agua, sal.

Remojadas las judías (desde la víspera), las pondremos a hervir y estofar procurando que no queden con mucho caldo. Una vez cocidas, las pasaremos a una fuente con grupos de arroz blanco cocido y moldeado en pequeños recipientes para flan, o en tazas pequeñas. Adornándolo, si se desea, con huevos cocidos.

Es un plato muy típico de Levante, donde se celebran todos los años las fiestas de Moros y Cristianos.

73. «Olla amb llentilles»

Ingredientes para 4 personas:
500 gramos de lentejas secas
150 gramos de acelgas verdes
150 gramos de patatas
2 cucharadas soperas de aceite
200 gramos de pencas [1]
azafrán hebra
agua
sal.

Las lentejas estarán ya remojadas, las pondremos a hervir en un recipiente cambiándoles el agua a los diez minutos y añadiéndoles las pencas, el aceite muy caliente y sal.

Mientras tanto habremos limpiado las acelgas y pelado y lavado las patatas. Transcurrida, aproximadamente, una hora de cocción las incorporaremos a las lentejas.

Cuando todo esté cocido y unos 15 minutos antes de servirlo se le puede añadir un puñado de arroz si así gusta hacerlo, aunque no es necesario. El arroz espesa mucho el conjunto.

---

[1] Parte blanca de la acelga.

74. Olla de trigo

Ingredientes para 4 personas:
1/4 kilo de trigo
1/4 kilo de judías encarnadas
secas

Se pone el trigo en remojo durante un cuarto de hora después se retira en una teja por su parte cóncava, separando con cuidado todas las cáscaras. Las judías estarán remojadas desde la víspera.

4 nabos, 1 cardo
1 tallo de hierbabuena
1 trozo de corbetes
1 pie de cerdo, 1 morcilla
1 longaniza, agua.

En una olla proporcional pondremos todos los ingredientes (incluso el trigo) bien cubiertos de agua fría, colocándola en el fuego y dejándola cocer poco a poco hasta que todo esté tierno (ha de quedar caldoso). A media cocción añadiremos el tallo de hierbabuena y sazonaremos con sal.

75. Olla xurra

Ingredientes para 4 personas:
400 gramos de alubias secas
1 morcilla de pan o cebolla
3 cucharadas soperas de aceite
1 hueso de caña
100 gramos de tocino fresco
1 pata de cerdo cortada por la mitad
3 patatas
1 diente de ajo
200 gramos de carne de cordero
200 gramos de pencas [1]
1 cucharada escasa de pimentón rojo dulce
agua sal.

Dispondremos de un puchero hondo de barro y en él echaremos las alubias (previamente remojadas desde la víspera en agua fría), añadiéndoles la morcilla, el hueso de caña, el tocino fresco, la carne de cordero y las pencas (cortadas y sin hilos), colocaremos el puchero sobre el fuego dejándolo cocer a fuego lento, unas dos horas más o menos. Cuando estén a medio hacer le añadiremos un sofrito confeccionado con el aceite, el diente de ajo y el pimentón, así como las patatas, peladas y cortadas a trozos. Que acabe de cocer a fuego lento hasta que la patata esté blanda.

---

[1] Lo blanco de las acelgas.

76. «Olleta de music amb poltrona»

Ingredientes para 4 personas:
1/2 kilo de habichuelas secas pequeñas (muy buenas las de Onil o Villena)
150 gramos de costilla de cerdo
200 gramos de asadura
200 gramos de «poltrona» [1]
150 gramos de pata de cerdo
100 gramos de tocino
1 vaso de aceite
azafrán hebra
2 granos de pimienta
agua, sal
100 gramos de pencas [2]

Prepararemos las habichuelas (previamente remojadas) en un puchero u olla al fuego, con las carnes y cubiertas de agua. Cuando estén abiertas y a medio hacer añadiremos el aceite, las pencas picadas y las especias, así como un poco de sal. Poco antes de servirlas a la mesa incorporaremos la «poltrona» o morcilla previamente cortada en trozos.

---

[1] La poltrona no es otra cosa que un embutido de la región levantina de tipo casero, a modo de una morcilla o butifarra negra.

[2] Lo blanco de las acelgas.

77. «Olleta» con arroz

Ingredientes para 4 personas:
1/2 kilo de habichuelas secas
1/2 kilo entre morro y pata de cerdo
100 gramos de tocino
1 vasito de aceite
1 nabo
400 gramos de pencas [1]
1 cebolla
1 tomate
100 gramos de arroz
1 papeleta de azafrán hebra
agua
sal.

Las habichuelas estarán remojadas desde la víspera. Las pondremos en una olla al fuego, cubiertas de agua, les añadiremos el nabo y las pencas ambos pelados y picados, dejándolos hacer a fuego lento. A mitad de su cocción incorporaremos a la olla el tocino, el morro y la pata.

Prepararemos un sofrito con el aceite, la cebolla y el tomate (picados) y les añadiremos sal y azafrán.

Cuando todo esté muy unido incorporaremos el arroz (y más agua si fuese necesario) rectificando de sal y cociendo el conjunto el tiempo justo para que se haga el arroz (15/20 minutos).

Es un potaje sabroso y muy popular en el campo. Aconsejamos las ollas de hierro o barro.

---

[1] Lo blanco de las acelgas.

78. Habichuelas en salsa

Ingredientes para 4 personas:
1/2 kilo de habichuelas secas
1/2 kilo de patatas
1/4 kilo de tomates
12 almendras picadas
1/4 kilo de cebollas
1 cabeza de ajo y 2 dientes sueltos
aceite
2 hojas de laurel
1 ñora [1]
agua
sal.

Herviremos las habichuelas previamente remojadas partiendo siempre de agua fría y sin sal.

Mientras tanto, en una sartén al fuego con el aceite freiremos las almendras, los dos dientes de ajo y la ñora, picando todo esto después en un mortero. El aceite de este sofrito lo echaremos a las habichuelas añadiendo asimismo, la cabeza de ajo y las hojas de laurel y la sal.

El majado de las almendras y del ajo también se lo añadiremos. A medio cocer adicionaremos las patatas peladas y cortadas a trozos pequeños.

---

[1] Pimiento seco.

79. Judías con nabos y arroz («fesols i naps» en arroz)

Ingredientes para 4 personas:
400 gramos de carne propia para cocer
1 mano y 1 oreja de cerdo
200 gramos de tocino
1 morcilla blanca
1/4 kilo de alubias blancas secas
6 nabos
300 gramos de arroz
1 morcilla negra, agua, sal.

Pondremos a cocer, en un puchero grande al fuego, las judías con tres litros de agua fría, la carne, la oreja y mano de cerdo, el tocino y las morcillas, así como los nabos pelados y partidos en pedazos, dejándolo cocer todo, lentamente, durante tres horas.

Ya cocido echaremos la sal y el arroz, no separándolo del fuego hasta que el arroz esté en su punto.

Esta especie de cocido se sirve en una fuente y las carnes, con las morcillas, todo trinchado, en otra.

80. Puchero valenciano

Ingredientes para 4 personas:
500 gramos de garbanzos
1 manojo de hierbas del caldo
200 gramos de tocino
1/4 kilo de gallina
800 gramos de carne de cadera
1 hueso de carne
1 hueso fresco de cerdo
4 patatas
200 gramos de chorizo
100 gramos de arroz o pasta para sopa
verdura de la estación
sal gorda
agua.

Los garbanzos estarán ya remojados previamente por espacio de unas 10 horas, como mínimo, en agua caliente con un buen puñado de sal gorda. En el puchero (mejor si es de barro) con mucha agua, iremos echando las hierbas del caldo (zanahoria, puerro, apio, nabo y chiviria) y el tocino, la gallina, así como los huesos (de carne y de cerdo). Cuando empiece a hervir, añadiremos los garbanzos bien limpios y la carne, dejándolo cocer lentamente, pero sin parar, por espacio de unas tres horas, quitándole repetidamente la espuma. Al cabo de este tiempo, echaremos la sal, las patatas peladas y cortadas y el chorizo.

Este cocido se puede hacer, así mismo, en la olla a presión. En tal caso, pondremos juntos todos los ingredientes, cerraremos la olla y dejaremos subir a la presión conveniente, no abriéndola hasta pasados los minutos en que la tabla correspondiente al modelo de olla que se tenga están indicados para este tipo de puchero.

Con el caldo del cocido haremos una buena sopa con pasta o arroz y los garbanzos los serviremos secos y enteros, acompañándolos de la verdura de la estación (acelgas, col valenciana o judías verdes cocidas aparte). En otra fuente la carne, el tocino y la gallina.

81. Salsa de vigilia

Ingredientes para 4 personas:

1/4 kilo de habichuelas blancas
que estén ya remojadas
2 patatas
150 gramos de cardos
150 gramos de acelgas
3 cucharadas soperas de aceite
2 cucharadas soperas de harina
1 cucharada sopera de pimentón
rojo dulce
3 dientes de ajo
azafrán hebra
agua
sal.

Pondremos a hervir las habichuelas con agua fría en una olla al fuego. Cuando estén a medio cocer les incorporaremos las verduras, las patatas y un poco de sal.

Mientras tanto, en una sartén al fuego, calentaremos el aceite y retirado del fuego le echaremos la harina, el pimentón y el azafrán, removiendo bien el conjunto.

Verteremos este sofrito a la olla que tenemos al fuego, añadiéndole también los ajos muy picados y dejándolo cocer a fuego bajo unos cinco/ocho minutos, sirviéndolo a continuación.

Capítulo III

VERDURAS, HORTALIZAS Y PATATAS

VERDURAS Y HORTALIZAS

PATATAS

82. Fritanga alicantina

Ingredientes para 4 personas:
350 gramos de calabaza
4 pimientos frescos (rojos o verdes)
1 cucharada sopera de pimentón rojo dulce
1/4 litro de caldo
300 gramos de atún fresco
1/2 kilo de tomates
2 dientes de ajo
1 cebolla
azúcar
1/4 litro de aceite
sal.

Cortaremos los pimientos, retirando las semillas, en trozos más bien pequeños. Cortaremos la calabaza en cuadrados y el atún en pedazos de parecido tamaño. La cebolla irá pelada y picada muy menuda; los tomates pelados y sin semillas.

En una sartén, con el aceite, freiremos los pimientos, la calabaza y el atún, sazonando con sal y, cuando estén tiernos, pasaremos todo a una cazuela, quitando el aceite y conservándolo a fuego muy bajo.

En el aceite de freír las verduras y el atún (o algo más si es necesario), rehogaremos la cebolla, el tomate y los ajos picados, sazonando con sal y, bien pasado, lo verteremos sobre la cazuela donde estén las verduras y el atún, agregando el pimentón y un pellizco de azúcar para quitar el sabor ácido del tomate, y un cucharón de caldo (o agua), dejándolo hacer a fuego lento y tapado, durante una hora.

83. Hervido

Ingredientes para 4 personas:
1 kilo de patatas
200 gramos de bacalao seco
1/2 kilo de cebollas
1/2 kilo de judías verdes
aceite
vinagre
agua
sal.

Pelaremos las patatas y las dejaremos enteras, si no son muy gordas. Prepararemos las cebollas (que serán pequeñas) y las judías verdes.

Colocaremos una olla o puchero al fuego con agua y cuando ésta rompa a hervir adicionaremos todo junto: patatas, bacalao (a trozos), cebollas y judías verdes. Pasados 15 minutos de cocción probaremos de sal (recordando que el bacalao desprenderá la suya).

Este «hervido» se sirve caliente (humeando) a la mesa escurrido de su caldo de cocción y se arregla, cada comensal, su ración, con aceite y vinagre.

Si no hay judías verdes el «hervido» podemos hacerlo con «bledas» (acelgas) o alcachofas tiernas.

84. Hervido de col con guisantes

Ingredientes para 4 personas:
1 col valenciana

Picaremos la col y la herviremos junto con los guisantes y las patatas, enteras si son pequeñas o troceadas si son gordas, y

1 kilo de guisantes frescos desgranados
400 gramos de patatas tempranas
3 cucharadas soperas de aceite
sal, agua.

añadiendo a este hervido sal y aceite. Debe hacerse poco a poco y con el agua justa para que no pierda sabor y quede jugoso.

85. Pimientos rellenos con arroz

Ingredientes para 4 personas:
4 pimientos verdes gordos
1 cebolla pequeña
100 gramos de mantequilla
agua
100 gramos de arroz
pimienta negra en polvo
azafrán en hebra
6 cucharadas soperas de aceite
sal.

En una cazuela al fuego echaremos el aceite y la cebolla muy picada, cuando esté dorada le añadiremos el arroz, rehogándolo y echando agua caliente (doble de agua que de arroz), el azafrán, la sal y la pimienta, dejándolo que hierva a fuego lento unos 20/25 minutos.

Cortaremos el tallo en redondo a los pimientos, vaciándolos de pepitas y cuando el arroz esté cocido se rellenan los pimientos, repartiéndolo proporcionalmente entre los cuatro y colocándoles nuevamente el tallo que le habíamos quitado.

En un recipiente refractario se pone la mitad de la mantequilla en el fondo, colocando los pimientos muy juntos y repartiendo el resto de la mantequilla por encima.

Meteremos el recipiente al horno durante 15 minutos a fuego moderado. Este plato es conveniente servirlo en el mismo utensilio a la mesa.

86. «Bajoques farcides»

Ingredientes para 4 personas:
8 pimientos grandes y gordos de piel gruesa y tierna
8 tacitas de arroz
1 1/2 kilos de tomates desmenuzados
1/4 kilo de carne de cerdo entreverada (o bien bacalao o el atún correspondiente)
1 tacita de aceite (además de la que ha de llevar la cazuela)
sal, ajo a gusto.

Cortaremos los pimientos por su parte más ancha, reservando la tapa; limpiar de pepitas y nervaduras y pasar por agua dejándolos escurrir bien.

La carne de cerdo (o el bacalao, desalado y escurrido, o, si es atún, lo mismo), la cortaremos en trozos pequeños que rehogaremos con los dientes de ajo picados, añadiendo el tomate, que también rehogaremos y, por último, incorparemos el arroz, al que daremos una vuelta con todo lo anterior, cubriéndolo con el doble de agua que de arroz y dejándolo hervir 15 minutos.

Con esto rellenaremos los pimientos, que taparemos de nuevo, poniéndolos de pie, en una cazuela, a ser posible de barro y de boca ancha, en cuyo fondo habremos echado dos cucharadas de agua, una de aceite con un poco de sal y un par de tomates cortados. Lo meteremos al horno dos/tres horas, con la cazuela, tapada con papel grueso embebido en agua.

Pasado el tiempo citado se pueden ya servir a la mesa.

87. Pimientos fritos

Ingredientes para 4 personas:
12 pimientos verdes, pequeños y tiernos
1/2 litro de aceite
sal fina.

Echaremos en una sartén al fuego la mitad del aceite y, cuando esté muy caliente, añadiremos los pimientos enteros, dándoles vueltas para que se doren. Cuando estén aún casi un pocos duros se retirarán a un colador.

Una vez apartada la sartén del fuego y, cuando el aceite se haya enfriado, echaremos de nuevo los pimientos haciéndolos junto con el resto del aceite, tapados y a fuego suave para que se cuezan bien. Cuando estén blancos, los escurriremos y serviremos en una fuente, donde les echaremos la sal.

88. Pimientos en ensalada

Ingredientes para 4 personas:
1 kilo de pimientos gordos
2 cebollas
1 vaso grande (de agua) de aceite
1/2 vaso grande (de agua) de vinagre, pimienta blanca en polvo
perejil fresco, sal.

De preferencia elegiremos unos pimientos que sean muy carnosos (verdes o encarnados) una vez asados y desprovistos de semillas, los conservaremos en tiras, colocándolos en una fuente y adornándolos alrededor con unos anillos de cebolla cruda. Sazonaremos con sal, pimienta, aceite y vinagre y los espolvorearemos con perejil fresco muy picado. Servir muy frío.

89. Cebollas rellenas con arroz

Ingredientes para 4 personas:
4 cebollas gordas
1 cebolla de tamaño mediano
150 gramos de arroz
1 cucharada sopera de puré de tomate, 1 huevo.

En el aceite, puesto al fuego en una sartén, freiremos la cebolla de tamaño mediano, muy picada, así que tenga color dorado le incorporaremos el puré de tomate, los trocitos de cebolla cocida y picados, la leche y por último el arroz que habremos cocido previamente en agua y sal y escurrido del caldo de su cocción. Uniremos este relleno con el huevo batido y sazonaremos con sal mezclando perfectamente. Rellenaremos las cebollas que terminaremos de cocer al horno 30/40 minutos.

90.   Judías verdes con almendras

Una vez limpias las judías las pondremos a hervir en agua y sal con unas gotas de limón.

Cuando estén tiernas las escurriremos y dejaremos en una fuente. Cortaremos las almendras en láminas finas que freiremos en la margarina y echaremos sobre las judías antes de presentar éstas a la mesa.

91.   Judías verdes con salsa de tomate

Una vez limpias y partidas por la mitad las judías (si son largas) las coceremos en agua y sal; tiernas y escurridas las colocaremos en una fuente. Por separado prepararemos una salsa con el aceite, la cebolla y los tomates. Cubriremos con la salsa las judías y las espolvorearemos con abundante perejil picado.

92.   Tomates rellenos

Cortaremos, por la parte del tallo, los tomates haciéndoles una cavidad con el cuchillo.

En la mantequilla freiremos la harina y, cuando haya tomado color, le mezclaremos en la sartén el perejil picado, la cebolla, un punto de pimienta negra, sal y el caldo de carne.

Uniremos la mezcla sobre el fuego y, tan pronto haya tomado consistencia, rellenaremos con ella los tomates, cu-

pimienta negra en polvo
1 taza de desayuno de caldo de carne
2 cucharadas soperas de aceite
2 cucharadas soperas de pan rallado, sal.

briéndolos con pan rallado y aceite frito y asándolos al horno. Cuando estén dorados los serviremos a la mesa.

93.   Col a la valenciana

Ingredientes para 4 personas:
1 col que sea tierna
agua
vinagre o limón
aceite fino
ajo
pimentón rojo dulce.

Quitaremos las hojas duras y el tronco de la col y la cortaremos en trozos que herviremos con agua (la justa). Una vez hecha la dejaremos en una fuente donde se aliñará con aceite, vinagre o limón. También se prepara después de hervida, sazonada, friéndola en la sartén con dos o tres dientes de ajo picados y una punta de pimentón rojo dulce.

94.   Hojas de col rellenas de arroz y carne

Ingredientes para 4 personas:
4 hojas grandes de col valenciana
50 gramos de mantequilla
500 gramos de carne picada (puede ser de cordero o de cerdo)
4 tazas de desayuno, de arroz
8 tazas de desayuno, de agua
1 cebolla pequeña
25 gramos de queso rallado
4 cucharadas soperas de aceite
pimienta blanca en polvo
sal.

En un recipiente al fuego con el aceite echaremos la cebolla muy picada y cuando empiece a dorarse le añadiremos la carne, el arroz y el agua, sazonando con sal y pimienta y dejándolo cocer durante 10/12 minutos.

Aparte coceremos, en abundante agua, las hojas de col durante 5/7 minutos. Retiradas y escurridas las secaremos con un paño blanco. Las envolveremos sujetando con unos palillos y dejándolas en una fuente refractaria, con el fondo untado de mantequilla. Las meteremos a horno moderado, pasados 10/12 minutos las espolvorearemos con el queso rallado, dejándolas en el horno hasta que se doren.

Las serviremos a la mesa recién hechas y muy calientes.

95.   Pastel de col

Ingredientes para 4 personas:
2 coles valencianas

Coceremos las coles en agua y sal, una vez hechas las escurriremos quitándoles bien el agua y se pican.

50 gramos de manteca de cerdo
agua
1 cebolla
perejil fresco
pimienta blanca en polvo
nuez moscada
1 vasito de tomate frito
3 huevos, sal.

En una cazuela al fuego con la manteca freiremos la cebolla picada y un poco de perejil, también picado.

Cuando todo esté bien frito (la cebolla sin llegar a dorarse) adicionaremos la col dejándola hacer 10 minutos y, a continuación, agregaremos los huevos batidos, removiendo bien el conjunto y poniéndolo en un molde al horno por espacio de 45 minutos.

96. Calabacines rellenos

Ingredientes para 4 personas:
4 calabacines iguales y tiernos
100 gramos de jamón
100 gramos de carne de ternera
2 patatas
1 huevo crudo
2 huevos duros
1 taza de desayuno, de harina
100 gramos de manteca de cerdo
1 vaso de agua de caldo
1 cebolla
sal
pimienta blanca en polvo.

Pelaremos finamente los calabaciones cortándolos por unos de sus extremos y vaciándolos con la punta de un cuchillo.

Prepararemos un picadillo con el jamón, la carne y las patatas (todo frito o cocido), lo amasaremos con un huevo, echaremos sal y pimienta y rellenaremos con ello los calabacines, envolviéndolos en harina y friéndolos en la manteca. Los dejaremos en una cazuela a medida que van estando hechos.

En la manteca sobrante freiremos la cebolla reducida a picadillo muy fino, agregándole el caldo de carne cuando empiece a tomar color, y, al romper a hervir, le incorporaremos a los calabacines.

Con un poco de la salsa en que cuecen éstos, desharemos en el mortero dos yemas de huevo duro incorporándolas al restos de la salsa, y dejando que cuezan los calabacines cinco/ocho minutos más antes de proceder a servirlos.

97. Calabacines rellenos de arroz

Ingredientes para 4 personas:
4 calabacines iguales
100 gramos de arroz
100 gramos de jamón (una loncha)
50 gramos de queso

Lavaremos los calabacines después de haberles quitado un extremo y los herviremos en mitad de agua (salada al punto justo) y mitad de vinagre, a la que habremos añadido los granos de pimienta.

Terminada la cocción (no deben estar demasiado cocidos),

agua
1 limón
vinagre
1 tomate muy duro
2 pimientos en vinagre
3 cucharadas soperas de aceite
2 granos de pimienta
sal.

los escurriremos el caldo dejando que los calabacines se enfríen en un plato.

Además de los calabacines herviremos, separadamente, el arroz y cuando esté cocido le añadiremos un cazo de agua fría, escurrida después el agua del arroz, extenderemos éste sobre un plato dejándolo enfriar. Cortaremos en cuadritos muy pequeños el jamón y el pimiento y en listitas el queso, uniéndolos al arroz.

Lavaremos el tomate y lo abriremos por la mitad, quitándole cuidadosamente las semillas y, con un cuchillo bien afilado, lo cortaremos a trocitos. Todo lo que hemos picado lo pondremos en una cacerola, así como el arroz, el zumo de un limón, una pizca de sal y el aceite, mezclando perfectamente todos los ingredientes.

Cortaremos por la mitad los calabacines ya fríos y con una cucharilla los vaciaremos hasta que cada uno de ellos resulte como una cazuelita. Espolvorearemos un poco de sal y un poco de aceite llenándolos con el arroz preparado y disponiéndolos sobre una fuente los adornaremos con los tomates y los pimientos.

98.   «Giraboix»

Ingredientes para 4 personas:
1/2 kilo de cebollas
1/2 kilo de patatas
1/4 kilo de judías verdes
1/4 kilo de bacalao seco
1 guindilla picante
la cuarta parte de una col
agua
salsa «all i oli» [1]
pan moreno
sal.

Pondremos a hervir el bacalao (remojado) junto con las cebollas picadas, las patatas cortadas a trozos, las judías verdes cortadas, la guindilla y el trozo de col, a que se haga en un puchero puesto al fuego con agua y un poco de sal.

Mientras cuece (una hora más o menos) haremos salsa «all i oli», hasta llenar el mortero. Tostaremos rebanadas de pan moreno corriente, que desmigaremos con dos dedos sobre una cazuela y le echaremos caldo del cocimiento anterior, dejándolo que se empape, obtendremos así una sopa. Picaremos la guindilla y el tomate, pasándolo por el colador poniéndolo encima de la sopa.

En una fuente presentaremos el hervido de verduras

cubriéndolo con la salsa «all i oli», y sirviéndolo después de la sopa.

Es una receta típica de Jijona.

---

[1] Para hacer la salsa «all i oli» consultar Capítulo V.

99. Habas fritas con cebolla

Ingredientes para 4 personas:

4 kilos de habas con vaina
1/4 litro de aceite, acaso menos
3 dientes de ajo
1 cebolla
1 vasito de agua, sal.

Desgranaremos las habas (son mejores las primeras de la temporada) y las freiremos en una cazuela de barro puesta al fuego con abundante aceite y en la que habremos frito uno de los dientes de ajo. Removeremos bien las habas con una cuchara de palo y las agregaremos el resto de los ajos muy picados, sal, la cebolla pelada y picada y el vasito de agua. Cocerán lentamente, pero sin parar y se moverán de continuo sirviendolas a la mesa muy calientes.

100. «Faves al tombet»

Ingredientes para 4 personas:

3 kilos de habas tiernas desgranadas
1 lechuga o 4 alcachofas
4 dientes de ajo tiernos
1 rebanada de pan
un poco de vinagre
pimienta blanca en polvo
1 cucharilla de café de pimentón rojo dulce
1/4 de litro escaso de aceite
agua
sal.

Picaremos la lechuga (bien lavada) y la mezclaremos con las habas ya desgranadas. Freiremos en una cazuela de barro los ajos, retirándolos después a un mortero donde los machacaremos bien con el pan hasta dejarlos como una pasta; esto lo desleiremos con un chorro de vinagre y un poco de agua. Rehogaremos las habas con la lechuga en la cazuela donde hemos frito los ajos, añadiéndolo el majado y el pimentón, dejándolo cocer hasta que estén tiernas, sazonaremos con sal y pimienta y lo serviremos a la mesa.

NOTA: Este plato, parecido a una sencilla menestra, es famoso en Alicante, donde existen variaciones muy diferentes entre sí, cada cual más sabrosa.

101. Cardo gratinado

Ingredientes para 4 personas:

1 cardo grande
1/2 litro de leche
2 limones
75 gramos de mantequilla
agua
15 gramos de queso rallado
100 gramos de harina.

Mezclaremos bien en una cazuela, 50 gramos de harina, el zumo colado de los limones, 2 litros de agua y sal. Cortaremos el cardo a cuchillo, en trozos de siete a nueve centímetros de largo, cociéndolo en la cazuela a fuego lento durante dos horas, moviéndolo al principio de la cocción con la cuchara de madera. Hecho y escurrido lo pondremos en hilera en un gratinador.

Haremos una salsa bechamel, vertiéndola sobre los trozos de cardo, espolvoreando éstos con queso rallado y rociándolos con el resto de la mantequilla derretida. Introduciremos la fuente en el horno, donde los tendremos hasta que adquieran un buen color tostado.

102. Berenjenas rellenas con gambas y arroz

Ingredientes para 4 personas:

4 berenjenas iguales de tamaño
4 cucharadas soperas de arroz
100 gramos de gambas cocidas
un ramito de hierbas compuesto
por: perifollo, estragón y perejil
2 limones
2 cucharadas soperas de aceite
pimienta blanca en polvo
sal.

Prepararemos las berenjenas quitándoles los extremos y cortándolas por su mitad a lo largo. Las coceremos en agua con sal cuidando mucho que no se rompan.

Herviremos el arroz, en blando, con agua y sal. Una vez hechas las berenjenas retiraremos su carne dejándolas en forma de cazuelas alargadas y picaremos esta carne uniéndola al arroz cocido y escurrido, a las hierbas picadas, el aceite, las gambas sin piel y el zumo colado de uno de los limones, sal y pimienta, rellenando las berenjenas con esta mezcla y poniéndolas en una fuente de servir con trozos hechos del otro limón. Es un plato frío.

103. Acelgas fritas (tallos)

Ingredientes para 4 personas:

1 kilo de acelgas con tallos anchos.

Separaremos los tallos de lo verde de las acelgas y partiremos éstos a un tamaño de cinco o seis centímetros, cociéndolos en agua hirviendo con sal. Cuando están tiernos

4 cucharadas soperas de harina
agua, sal
1 huevo
1/4 litro o menos de aceite

los retiraremos. Haremos una masa con la harina y el agua (una papilla espesa) y el huevo muy batido. Pasaremos las acelgas en ella y las freiremos en aceite muy caliente, sirviéndolas, recién hechas, a la mesa.

104. Guisantes al estilo de Valencia

Ingredientes para 4 personas:
1 kilo de guisantes desgranados
3 dientes de ajo
pimienta blanca en polvo
1 cebolla
tomillo
1 vasito de vino blanco
azafrán hebra
perejil fresco
1 vaso de agua, de aceite
1 hoja de laurel
agua
sal.

En una cazuela con aceite, sobre el fuego, rehogaremos la cebolla finamente picada y dos ajos igualmente picados; cuando comience a dorarse la cebolla añadiremos los guisantes, siguiendo el rehogado de todo y añadiendo después el vasito de vino blanco y otro de agua, así como un atado compuesto por el perejil, el laurel y el tomillo. Lo dejaremos cocer a fuego lento.

Machacaremos en el mortero el otro diente de ajo, con un poco de azafrán, desleiremos con un poco de caldo o agua y lo echaremos a los guisantes, sazonándolos con sal y pimienta, siguiendo el hervor hasta que estén tiernos.

Quitaremos el atado de las hierbas aromáticas y lo serviremos en una fuente adornándolos, si se desea, con tiras de pimiento rojo o huevo cocido.

105. Alcachofas en escabeche

Ingredientes para 4 personas:
1 kilo de alcachofas
1/4 litro de aceite
agua
3 dientes de ajo
1 hoja de laurel
vinagre
agua
sal.

Limpias las alcachofas de hojas duras las dejaremos sólo el corazón y las herviremos en agua con sal (podemos frotarlas con limón para que no se pongan negras).

En una sartén, al fuego, con el aceite freiremos las alcachofas ya cocidas y escurridas, las añadiremos la hoja de laurel.

Pelaremos los dientes de ajo y los majaremos al mortero con sal añadiendo un buen chorro de vinagre y echándoselo a las alcachofas que tenemos en la sartén, revolveremos bien para que tomen el gusto del vinagre y después las serviremos en una fuente.

Este plato puede también comerse frío.

106. Fritos con coliflor

Ingredientes para 4 personas:
1 coliflor mediana
1 taza de desayuno de harina
1 cucharilla de café de levadura en polvo
1/2 taza de desayuno de leche
1 huevo
1 cucharada sopera de manteca de cerdo
sal.

Mezclaremos la taza de harina con la cucharilla de levadura en polvo y media de sal. Pondremos la leche fría con un huevo muy batido y la cucharada de manteca derretida (o buen aceite). Batiéndolo bien y añadiendo la coliflor previamente cocida en pedacitos y la harina, revolviéndolo hasta obtener a modo de una crema espesa que freiremos, echándolo con una cuchara de aceite muy caliente. Serviremos los fritos rápidamente a la mesa. También se utilizan como guarnición de platos de aves o carne asada.

107. Patatas con arroz

Ingredientes para 4 personas:
1 kilo de patatas
200 gramos de arroz
150 gramos de chorizo
perejil fresco
1 cebolla
2 tomates
1 cucharada de pimentón rojo dulce (puede llevar algo de picante)
8 cucharadas soperas de aceite
1/2 litro de agua.

Haremos un sofrito en una cazuela, al fuego con el aceite, a base de la cebolla y los tomates, ambos pelados y muy picados, las echaremos el pimentón y el arroz y el agua que estará caliente. Pelaremos las patatas cortándolas a trozos y cortaremos el chorizo en rodajas, echando ambas cosas a la cazuela para que hiervan con el arroz (si vemos que va a quedar seco podemos añadir más agua). Echaremos sal y perejil fresco muy picado.

Este guiso puede cambiarse echando rodajas de zanahoria, nabos torneados, guisantes tiernos, trozos de bacalao o de cecina o costilla de cerdo adobada.

108. Patatas alcoyanas

Ingredientes para 4 personas:
1 kilo de patatas
1 vasito de vino blanco
8 cucharadas soperas de aceite
2 granos de pimienta
1 clavo de especias
1 hoja de laurel
8 tomates.

Las patatas deben de ser muy pequeñas.

Echaremos en una cazuela de barro al fuego, el aceite y los tomates enteros, el vasito de vino blanco, pimienta en grano, clavo de especia, laurel y sal. Pelaremos las patatas, dejándolas enteras e incorporándolas a la cazuela. Cubriremos con papel de aluminio, encima pondremos un cacharro con agua, dejando que las patatas cuezan así, al vapor, y con el líquido que desprendan los tomates, hasta que estén en su punto. Cuando lo estén, colocaremos la salsa y la verteremos de nuevo en la cazuela, sirviendo el plato a continuación.

109.　Estofado viudo

Ingredientes para 4 personas:
1 kilo de patatas
1/2 kilo de cebollas
2 cabezas de ajos
2 hojas de laurel
1 vasito de agua
1 vasito de vino tinto
azafrán en hebra
8 cucharadas soperas de aceite
sal.

Pelaremos las patatas y las trocearemos. Pelaremos las cebollas y las picaremos friéndolas en una sartén grande al fuego, con el aceite; así que tomen color, incorporaremos las patatas, los dientes de ajo enteros, el laurel, el azafrán y la sal. Una vez rehogado el conjunto lo pasaremos a una cazuela añadiendo el vino y el agua y dejándolo al fuego (lento) hasta su total cocción con la tapadera puesta y mejor si, bajo ésta, colocamos un papel de aluminio.

110.　«Bollitori»

Ingredientes para 4 personas:
1 kilo de patatas
1/4 kilo de bacalao seco
3 pencas [1]
1 cebolla
5 huevos
5 dientes de ajo
pan tostado
«ajos»
agua
aceite
1 limón
sal.

En una olla de barro, al fuego, con agua coceremos las patatas (peladas y troceadas) junto con el bacalao, la cebolla, las pencas y la sal (ojo con la sal pues el bacalao ya la lleva).

Una vez cocido retiraremos unos trozos de patata para hacer los «ajos».

Cómo se hacen los «ajos»: pelaremos los dientes de ajo que, dice el refrán popular, deben ser siempre en número «senar» (impar) y los echaremos en un mortero majándolos juntamente con los trozos de patata, unas gotas de limón y una yema de huevo poniéndole, gota a gota, aceite y trabajándolo bien, cuanto más mejor, con el «boix» (mano del mortero) que girará continuamente. Esta salsa o «ajos» los pondremos en una fuente dejando un poco en el mortero, añadiendo (a lo del mortero) como dos o tres cucharones del agua del «bollitori» (cocido anterior) y removiéndolo bien lo verteremos en la olla.

Prepararemos una sopa, con el caldo del «bollitori» y el pan tostado y añadiendo la salsa o «ajos», cuando el pan esté bien remojado y cocido se echan los huevos para que se cuajen.

Con este procedimiento tenemos dos platos: la sopa y el cocido o «bollitori» de patatas y bacalao.

---

[1] Lo blanco de las acelgas.

111. «Cholas»

Ingredientes para 4 personas:
1 kilo de patatas
1/4 kilo de bacalao seco
1/8 litro de aceite
2 huevos
2 pimientos encarnados de lata

Coceremos las patatas sin pelar, una vez cocidas les quitaremos la piel y machacaremos en un mortero añadiéndoles las yemas crudas, el bacalao desmigado y las claras de huevo cocidas. Mezclaremos todo con el aceite crudo y lo echaremos en una fuente honda.

Adornándolo con pimientos encarnados cortados a tiras.

NOTA: Este plato no precisa sal.

Capítulo IV

ENSALADAS

ENSALADAS

112. Ensalada de arroz (1.ª forma)

Ingredientes para 4 personas:
400 gramos de arroz
25 gramos de alcaparras
100 gramos de queso fresco
50 gramos de pepinillos en vinagre
1 salchichón
1 pimiento dulce
1 tacita de aceite de oliva
agua
2 limones
pimienta blanca en polvo
sal.

Coceremos el arroz en abundante agua salada. Mientras cuece, prepararemos los ingredientes que servirán para condimentarlo cortando el salchichón (si es pequeño todo, de lo contrario la mitad) en rajitas más bien gruesas y después en cuadritos. Cortaremos a lo largo los pepinillos y en tiras el queso y el pimiento, lavaremos las alcaparras y exprimiremos el limón.

Cuando el arroz esté cocido, le escurriremos el agua, pasándolo por agua fría escurriéndolo de nuevo y dejándolo después en una ensaladera. Añadiremos todos los ingredientes preparados y lo condimentaremos con abundante aceite de oliva y un poco de pimienta recién molida, mezclaremos y probaremos, si el zumo de un limón fuese insuficiente, añadiremos más. Conservaremos la ensalada de arroz en el frigorífico hasta el momento de servirla a la mesa.

113. Ensalada de arroz (2.ª forma)

Ingredientes para 4 personas:
400 gramos de arroz
1 huevo duro
100 gramos de guisantes
100 gramos de bonito en aceite
1 pepino, 1 manzana
3 tomates
1 bote de salsa mahonesa.

Coceremos el arroz 20 minutos en agua con sal. Cuando esté lo pasaremos por agua fría para que quede suelto.

Picaremos el huevo duro, el pepino, la manzana, el bonito y lo añadiremos, junto con los guisantes, al arroz.

Mezclaremos todo perfectamente con la mahonesa y lo dejaremos enfriar en el frigorífico por lo menos una hora antes de servirlo a la mesa.

Adornaremos la ensalada con rodajas de tomate.

114. Ensalada de arroz (3.ª forma)

Ingredientes para 4 personas:
250 gramos de arroz
caldo o agua
2 pimientos frescos verdes o rojos
2 tomates
1 cebolla

Herviremos el arroz en el caldo o agua con sal (doble de líquido que de arroz) y, a media cocción, le incorporaremos los pimientos frescos, limpios, sin pepitas y cortados a tiras, los tomates pelados y a trozos, la cebolla cortadita y el diente de ajo picado, terminando la cocción del arroz que durará en total unos 20 minutos.

1 diente de ajo
salsa de mostaza
pimienta blanca en polvo
1 cucharada sopera de vinagre
2 cucharadas soperas de aceite
perejil fresco picado, sal fina.

Pasado este tiempo lo escurriremos y dejaremos enfriar. Con una cucharada de salsa de mostaza, el vinagre, el aceite, pimienta, sal y perejil picado, haremos una salsa fría bien batida que nos servirá para cubrir la ensalada de arroz que serviremos muy fría.

115. Ensalada de arroz (4.ª forma)

Ingredientes para 4 personas:
4 cucharones de arroz
agua
aceite
1 lata de espárragos
4 huevos duros
2 tomates
1 pimiento rojo de lata
1/2 cebolla
1 diente de ajo
perejil fresco
2 cucharadas soperas de agua
3 cucharadas soperas de vinagre
3 cucharadas soperas de aceite
sal.

En un puchero que contenga el doble de agua que de arroz, o sea ocho cucharones de líquido, haremos hervir el arroz, con sal y un chorro de aceite.

Mientras cuece (unos 15/20 minutos) haremos una buena salsa vinagreta de la siguiente forma:

Pelaremos los tomates y los reduciremos a puré con el tenedor y en crudo. Picaremos el diente de ajo, el pimiento rojo, la cebolla, el perejil y lo uniremos todo en la salsera, a la que añadiremo el agua (2 cucharadas como se indica en los ingredientes), el vinagre, 3 cucharadas de aceite y sal. Agitaremos bien y probaremos el punto de sal y el punto de vinagre; debe estar un poco fuerte.

Escurrido el arroz lo mezclaremos con los huevos duros bien picados, lo adornaremos con los espárragos y, por último, lo bañaremos con salsa vinagreta.

116. Ensalada levantina

Ingredientes para 4 personas:
2 huevos cocidos
miga de pan
1 diente de ajo
8 cucharadas soperas de aceite
1 lechuga
agua
vinagre
sal.

Machacaremos en el mortero el diente de ajo con las yemas de los huevos duros añadiendo miga de pan remojado en vinagre y aceite, poco a poco como si se fuera a hacer mahonesa, moviéndolo siempre para el mismo lado. Cuando esté bien unido, añadiremos sal y vinagre, y el agua necesaria para aliñar la ensalada. Prepararemos la lechuga picada en la ensaladera y le mezclaremos la salsa, añadiendo también las claras de los huevos duros picadas. La serviremos muy fría.

117. Ensalada valenciana

Ingredientes para 4 personas:
2 naranjas
1 lechuga (que no sea rizada)
ramas de perejil fresco
aceite
vinagre
sal.

Lavaremos y cortaremos la lechuga y la aderezaremos con sal, aceite y vinagre, colocándola en una ensaladera y alrededor pondremos las naranjas cortadas a ruedas y espolvorearemos perejil picado.

Aconsejamos la utilización de lechuga corriente. La llamada lechuga rizada o escarola es de uso poco frecuente en Levante.

118. Ensalada de arroz con langosta

Ingredientes para 4 personas:
300 gramos de arroz cocido
1 langosta de igual peso (con cáscara), también cocida
3 huevos duros, 3 tomates,
aceite, vinagre,
pimienta blanca en polvo
mostaza.

Picaremos menudamente la carne de la langosta, añadiéndole el arroz cocido, los huevos duros cortaditos, así como los tomates cortados y pelados y luego le agregaremos el aliño del aceite con vinagre batidos con una cucharada sopera de mostaza. Se sirve fría.

119. Ensalada de pollo

Ingredientes para 4 personas:
1 pollo de 1 kilo de peso
1 puerro
2 zanahorias
1/2 cebolla
6 champiñones frescos
un poco de tomillo
3 patatas
salsa mahonesa
hojas de lechuga
1 lata de puntas de espárragos
1 copita de jerez seco
sal.

Coceremos el pollo con los puerros, zanahorias, cebolla, tomillo y champiñones. Una vez cocido lo retiraremos, deshuesándolo y dejándolo en un plato con las zanahorias y los champiñones.

Haremos una gelatina con el jugo del pollo, adicionando el jerez después y, cuando se haya enfriado, cubriremos con ella el pollo, el cual se cortará luego en trocitos, poniendo éstos en una fuente, unos sobre otros.

Prepararemos una ensalada rusa con las verduras picadas, la mahonesa (reservando un poco) y las patatas, previamente cocidas y picadas, poniéndola seguidamente sobre el pollo y tapando todo con las hojas blancas de lechuga, para que no se vea nada del contenido. Verteremos sobre ella la mahonesa reservada.

Haremos un picadito con el resto de la gelatina, el cual esparciremos por encima poniendo alrededor las puntas de espárragos intercaladas con un picadito de gelatina.

120. Ensalada de espárragos y huevos duros

Ingredientes para 4 personas:
1 lata grande de espárragos o un manojo si son frescos
6 alcachofas, agua
2 huevos duros
100 gramos de aceitunas verdes
100 gramos de aceitunas negras
aceite, vinagre
perejil fresco, 1 cebolla, sal.

Colocaremos en el centro de una fuente el contenido de la lata de espárragos (si son frescos, previamente cocidos), rodeados de alcachofas en conserva (o frescas, cocidas también) y rodearemos éstas a su vez con discos de huevo duro, alternando con grupos de aceitunas verdes y negras.

Sazonaremos con una salsa vinagreta hecha con aceite, vinagre, sal y cebolla finamente picada mezclada con perejil y huevo duro ambos muy picados.

121. Ensalada de col valenciana

Ingredientes para 4 personas:
1 col valenciana pequeña
4 cucharadas soperas de aceite
1/2 litro de vinagre
pimienta blanca o negra en polvo
agua
sal.

Cortaremos la col estilo Juliana, muy fina, y la colocaremos en un escurridor de mango largo y de alambre, a fin de que sea muy transparente, sumergiéndola dentro de una cacerola grande, donde haya agua hirviendo con sal y dejándola hirviendo en el fuego unos 10 minutos, la retiraremos y pasaremos por agua fría.

Escurrida la colocaremos en una ensaladera honda, cubierta de agua y vinagre a partes iguales. La dejaremos tres horas. Escurriremos y pasaremos a otra ensaladera aderezándola con sal, pimienta y aceite y sirviéndola muy fría.

122. «Esgarradet»

Ingredientes para 4 personas:
600 gramos de pimientos
600 gramos de berenjenas

Lo ideal es hacer el «esgarradet» en el horno cuando no queden en éste más que las brasas y colocando sobre ellas los pimientos y las berenjenas hasta que la piel de estas verduras salta en burbujas y se suelta la carne que tiene dentro, en ese momento se pelan y deshacen en tiras sirviéndolas regadas con aceite y sal.

Esta ensalada se come generalmente en verano después de la «escaldada» de la uva moscatel.

123.   «Pebreres torrades»

Ingredientes para 4 personas:
700 gramos de pimientos frescos
500 gramos de pescado (merluza o sardinas)
1/4 de litro de aceite
sal.

Asaremos los pimientos sobre las brasas abriéndolos a tiritas y poniéndolos en una fuente, bien arregladitos con sal.

Freiremos el pescado en el aceite. Una vez frito el pescado, lo dejaremos sobre los pimientos, incluido el aceite del frito.

También es costumbre poner «saladura» y aceite crudo sobre los pimientos.

Este plato sirve como aperitivo, a la hora de la merienda o de la cena, o también después del «arròs amb fesols y naps».

Capítulo V

SALSAS

SALSAS

124.   «All i oli»

Ingredientes para 4 personas:
6 dientes de ajo
abundante aceite fino
sal.

Pelaremos los dientes de ajo y los echaremos en un mortero majándolos bien y añadiendo un poco de sal. Adicionaremos el aceite en forma de hilillo removiendo continuamente con el «boix» o mano del mortero hasta conseguir una salsa firme y espesa.

Algunas variaciones del «all i oli» clásico:

Se le puede añadir una yema de huevo.

También es factible adicionarle una patata cocida, de esta forma aumenta la salsa.

En los libros de cocina le denominan «all i oli» o, más castellanizado, ajoaceite. En valenciano es «all i oli», o sea, ajo y aceite.

En los pueblos suele hacerse con mucha frecuencia. Los hombres ponen el mortero sobre las rodillas y dicen así:

> «Dinguilidín»,
> «entre mig d'les cames el tinc»,
> «quan mes oli le pose»
> «mes lluent el tinc».

125.   Salsa de tomate (1.ª forma)

Ingredientes para 4 personas:
1 kilo de tomates rojos y maduros
2 cebollas
2 dientes de ajo
perejil fresco
6 cucharadas soperas de aceite
azúcar
pimienta blanca en polvo
sal.

En una sartén calentaremos el aceite, añadiendo las cebollas peladas y picadas, los dientes de ajo y perejil, dejando que se dore. Agregaremos los tomates, pelados y desprovistos de semillas, cociéndolo hasta que espese. Lo pasaremos por el chino apretando mucho y volviendo a poner la salsa sobre el fuego a que cueza hasta dejarla del espesor que se quiera. Agregaremos sal, pimienta y azúcar al gusto.

NOTA: Podemos agregarle manteca de cerdo, tocino de jamón o tocino fresco picado.

126.   Salsa de tomate (2.ª forma)

Ingredientes para 4 personas:
1/4 litro de salsa:

Calentaremos la grasa elegida en una cacerola sobre el fuego, añadiéndole la cebolla y zanahoria cortadas en pedacitos,

1 kilo de tomates frescos (o el equivalente en conserva)
100 gramos de cebolla
25 gramos de zanahoria
100 gramos de mantequilla
50 gramos de manteca de cerdo o aceite fino
1 cucharada sopera de harina
1 diente de ajo, perejil fresco
una pizca de tomillo
1 hoja de laurel
pimienta blanca en polvo
azúcar, sal
algunas veces se le agrega, además, vino blanco y tocino.

freiremos echándola harina y dorando un poco. Agregaremos los tomates pelados y cortados en pedazos, perejil, laurel, tomillo, sal y pimienta. Taparemos y dejaremos cocer, con calma, durante 1/2 hora, moviéndolo de vez en cuando con una cuchara para que no se agarre.

Pasaremos la salsa por el chino apretando mucho para que pase todo (o casi todo) y volviendo a poner la salsa sobre el fuego, añadiremos azúcar al gusto y que cueza hasta verla un poco espesa.

Servir caliente.

127. Salsa «limoneta»

Ingredientes para 4 personas:
el zumo colado de 3 limones
1 diente de ajo
1 taza de desayuno de aceite
sal.

Aplastaremos el ajo, lo pelaremos y lo dejaremos en un mortero, machacando bien y echándole sal. Adicionaremos el zumo de limón, removiendo rotativamente, y una vez echado todo el zumo de limón, lo batiremos a mano unos minutos y, sin dejar de batir, incorporaremos el aceite, muy poco a poco y batiendo constantemente, hasta que todo el aceite esté bien mezclado.

Esta misma salsa podemos variarla machacando unas ramas de perejil fresco con el ajo, es también excelente.

128. Salsa albufera

Ingredientes para 4 personas:
100 gramos de mantequilla
1 cucharada sopera de harina
1/2 litro de caldo
el zumo colado de 1 limón
2 yemas de huevo
nuez moscada

En un pote, al fuego, echaremos 50 gramos de mantequilla y la cucharada de harina y cuando esté completamente mezclado le añadiremos el caldo dejándolo que empiece a cocer. Cuando haya cocido cinco minutos lo retiraremos del fuego y, a los 2/3 minutos le añadiremos las yemas de huevo y el zumo de limón, sazonando con sal, pimienta y nuez moscada rallada y pasando la salsa por un colador fino.

2 pimientos rojos de lata
sal.

Pasaremos por el tamiz los pimientos rojos mezclándolos con el resto de la mantequilla y uniremos ambas cosas formando una única salsa.

129. Salsa levantina

Ingredientes para 4 personas:
1 cucharada sopera de jugo de
carne
2 cucharadas soperas de zumo
colado de limón
6 cucharadas soperas de con-
somé
romero
sal.

Herviremos el jugo de la carne con el consomé durante 3/5 minutos adicionándole el zumo de limón, un poco de romero y sal, retirando el conjunto del fuego.

Lo colaremos y serviremos muy caliente, en salsera aparte, con cualquier plato de carne o de pescado.

Cuando esta salsa la utilicemos para pescados, podemos adicionar cuatro o cinco cucharadas de caldo concentrado de pescado, no eliminaremos por ello el jugo de carne.

130. Salsa exquisita

Ingredientes para 4 personas:
300 gramos de hígado de ter-
nera
300 gramos de pimientos en
vinagre
1/2 vasito de aceite
la cáscara de un limón
un pedacito de mantequilla
caldo de carne, sal.

Machacaremos en el mortero el hígado de ternera crudo y los pimientos. Pondremos la mezcla en un pote y le añadiremos todos los demás ingredientes en frío. Comenzando la cocción a fuego muy lento hasta que hierva poco a poco durante una hora, revolviendo de vez en cuando. Ir añadiendo poco a poco cucharadas de caldo. Serviremos esta salsa como acompañamiento de las aves de caza o bien con tostaditas de pan.

131. Salsa de langostinos

Ingredientes para 4 personas:
4 langostinos
perejil fresco
1 vasito de vino blanco
1 cebolla
1 diente de ajo

Prepararemos 1/2 litro de agua, aproximadamente, a la que agregaremos la cebolla pelada y cortada en trozos, el perejil, el ajo, el vino blanco y la sal, añadiendo los langostinos cuando ésta comienza a hervir y los dejaremos cocer durante un cuarto de hora. Pasado este tiempo los retiraremos, separando las colas que pelaremos y guardare-

1 cucharada sopera de mantequilla
1 yema de huevo duro
2 cucharadas soperas de harina
agua
sal.

mos, machacaremos lo demás en el mortero; cuando esté a modo de una papilla, lo mezclaremos con el agua donde se habían cocido y pondremos todo al fuego durante cinco/siete minutos.

Doraremos la harina en la mantequilla y colaremos el caldo por un tamiz fino echándolo sobre la harina rehogada y cociendo todo durante cinco minutos, echaremos sal y lo retiraremos del fuego agregándole la yema bien chafada, así como las colas de los langostinos. Podemos servirla en una salsera o bien vertiéndola sobre el manjar elegido. Se trata de una salsa ideal para pescados y mariscos.

132.   Salsa de huevos duros

Ingredientes para 4 personas:
4 huevos duros
4 cucharadas soperas de vinagre
1 cucharada sopera de mostaza
1/4 litro de aceite
pimienta blanca en polvo
perejil fresco, sal.

Pondremos la mostaza en un recipiente de porcelana, echándole sal y pimienta y desliendo con el vinagre le mezclaremos el aceite. Antes de servirla añadiremos los huevos cortados muy menuditos y el perejil picado finamente.

133.   Salsa de setas frescas

Ingredientes para 4 personas:
400 gramos de setas frescas
50 gramos de mantequilla
50 gramos de harina
1/2 litro de caldo, perejil fresco
pimienta negra en polvo
el zumo colado de 1 limón
3 yemas de huevo, agua, sal.

Limpiaremos y lavaremos las setas poniéndolas a cocer con agua y sal. Una vez cocidas las pasaremos por agua fría, escurriremos y cortaremos muy finamente.

En una cacerola al fuego echaremos la mantequilla y la harina, las mezclaremos añadiendo el medio litro de caldo, caliente y las setas así como perejil cortado muy fino. Sazonaremos con sal y pimienta.

Retirada del fuego, ligaremos la salsa con las tres yemas de huevo y el zumo del limón.

134.   Salsa de naranja

Ingredientes para 4 personas:
el zumo de dos naranjas y la ras-

Pondremos un recipiente hondo, al fuego, y derretiremos la mantequilla añadiendo la harina y cuando esté

*padura de la corteza de las mis-
mas*
150 gramos de mantequilla
*2 tazas de desayuno, de caldo de
carne o agua*
150 gramos de harina
1 copita de jerez
cayena
pimienta negra en polvo, sal.

dorada echaremos sal, pimienta y la cayena, echando poco a poco el caldo de carne o el agua. Lo dejaremos hervir 10 minutos, moviéndolo continuamente con una varilla para que no se haga grumos e incorporando el jerez, el zumo y las raspaduras de las naranjas; que cueza todo junto cinco/ocho minutos.

Esta salsa muy caliente sirve para acompañar cualquier plato de carne.

135.   Salsa de naranjas agrias

Ingredientes para 4 personas:
*3 naranjas que estén maduras,
jugosas y que sean agrias*
60 gramos de mantequilla
60 gramos de azúcar.

Lavaremos cuidadosamente las naranjas con la piel y las cortaremos dos de ellas a trocitos pequeños. Ablandaremos la mantequilla en una cazuela, añadiéndole el azúcar y después de haber mezclado bien echaremos los trocitos de naranja, dejándolas cocer durante 15 minutos y cuando hayan tomado un color dorado incorporaremos el jugo de la tercera naranja, mezclándolo y separándolo del fuego. Esta salsa está muy indicada con carnes de cerdo.

Capítulo VI

PESCADO, MARISCO
Y BACALAO

PESCADO

MARISCO

184. Almejas a la marinera (1.ª forma)
185. Almejas a la marinera (2.ª forma)
186. Almejas a la valenciana
187. Almejas con arroz
188. Almejas a la bechamel
189. Cazuela de almejas
190. Mejillones para entremeses
191. Langostinos fríos
192. Langostinos cocidos
193. Cazuelitas de langostinos
194. Delicias de langostinos
195. Gambas a la plancha
196. Gambas «amb bledes»
197. Langosta fría
198. Langosta hervida
199. Cigalas a la vinagreta levantina
200. Cigalas hervidas
201. Percebes fríos

BACALAO

202. Bacalao a la valenciana (1.ª forma)
203. Bacalao a la valenciana (2.ª forma)
204. Bacalao a la mediterránea
205. Bacalao con arroz
206. Bacalao con arroz blanco
207. Fritos de bacalao
208. Borreta de bacalao
209. Pericana hervida
210. Pericana escaldada

136. Filetes de dentón a la Denia

Ingredientes para 4 personas:

1 dentón de 1 kilo de peso
125 gramos de mantequilla
2 cucharadas soperas de harina
4 langostinos
2 limones
1/2 kilo de patatas
1 yema de huevo
1 vaso de agua de vino blanco
1 trufa
25 gramos de alcaparras
agua
pimienta blanca en polvo
nuez moscada
sal.

Limpiaremos el pescado y, desprovisto de la espina, lo cortaremos, haciéndolo a filetes que colocaremos en una tartera untada con mantequilla. Le echaremos el vino blanco y dos vasos grandes de agua sazonándolo con sal.

Añadiremos una cucharada sopera de mantequilla y unas gotas de zumo de limón, tapándola con papel de barba untado con mantequilla y metiéndolo en el horno lo haremos unos 15 minutos.

Cómo hacer la salsa: derretiremos 50 gramos de mantequilla, incorporando la harina y el caldo del pescado que hay en la tartera, sazonando con pimienta y nuez moscada rallada, coceremos lentamente durante 20 minutos, removiéndolo de vez en cuando con el batidor y, al terminar la cocción, adicionaremos la yema de huevo, las alcaparras y el resto de la mantequilla.

Los filetes del pescado se colocarán en una fuente cubriéndolos con la salsa y rodeándolos con las patatas ralladas y torneadas en forma ovalada, previamente hervidas con agua y sal y escurridas.

Adornaremos la superficie del pescado con unas láminas de trufa y, alrededor de la fuente, colocaremos los langostinos hervidos y unas rodajas de limón.

137. Besugo con jamón

Ingredientes para 4 personas:

1 besugo de 1 200 gramos de peso
50 gramos de jamón
25 gramos de tocino fresco
1 vasito de aceite
1 taza de caldo (de carne o de pollo) sal.

Limpiaremos bien el besugo dejándolo entero pero abierto por el vientre. Escurrido y con sal procederemos a rellenar la abertura con el jamón y el tocino muy picaditos en la tabla, poniéndolo en una fuente refractaria con el aceite y metiéndolo a horno más bien fuerte.

Mientras se asa le regaremos con el caldo y después con su propia salsa o jugo.

Serviremos el besugo en la misma fuente en la que lo hemos cocinado.

138. Besugo fuerte

Ingredientes para 4 personas:

1 besugo de 1.200 gramos de peso
cabeza y media de ajos
1 ramillete compuesto por laurel, tomillo y perejil
1 cucharadita de café de pimentón rojo dulce
pimienta negra en polvo
1 vaso de vinagre
1/4 de litro de aceite
agua, sal.

Cortaremos el besugo a trozos, después de limpio y lo pondremos en una cazuela acompañado de los ajos, pelados y cortados por la mitad, el ramillete de hierbas, pimienta negra y el aceite que será de muy buena calidad.

Una vez rehogado el besugo le adicionaremos unas gotas de agua y el vinagre, dejando que cueza unos 15 minutos más.

Cuando ya esté cocido del todo, echaremos el pimentón y unas gotas más de vinagre, rociándolo, finalmente, con un poco de aceite frito.

139. Salmonetes fritos

Ingredientes para 4 personas:

4 salmonetes de ración o bien 8 más pequeños
50 gramos de harina
1/4 litro de aceite
50 gramos de pan rallado
2 cucharadas soperas llenas de perejil picado
1 limón
sal.

Limpiaremos y secaremos los salmonetes con un trapo (no conviene lavarlos). Bien espolvoreados con sal fina, los pasaremos por harina friéndolos en aceite caliente hasta dejarlos de un bonito color dorado. En aceite limpio freiremos el pan rallado, añadiéndole al final el perejil picado. Pondremos los salmonetes en una fuente echándoles por encima el pan frito y los adornaremos con limón.

Recordemos que los salmonetes de «Les Puntes» (Denia) son de excelente sabor.

140. Salmonetes a la alicantina

Ingredientes para 8 personas:

1 1/2 kilos de salmonetes grandes
1/2 kilo de tomates
3 pimientos encarnados asados o 4 de lata
30 gramos de piñones
1 cucharilla de café, de azúcar
1 cebolla

Los limpiaremos quitándoles tripas y escamas, lavándoles bien y dejándoles escurrir, los sazonaremos con sal poniéndoles en una fuente de horno uno al lado del otro.

Pelaremos los tomates picándolos muy menudos y echándolos sobre el pescado; haremos otro tanto con la cebolla. Los pimientos los cortaremos a cuadraditos muy pequeños y poniéndolos también sobre los salmonetes, agregando el pan

*30 gramos de miga de pan ra-
llado*
2 vasos de aceite
perejil fresco
pimienta negra en polvo
sal.

rallado, el perejil picadito, sal, pimienta, azúcar y los piñones. Por último, los rociaremos con el aceite crudo, metiéndolos al horno, y a la hora y cuarto de cocción estarán ya en su punto. Mientras se hacen se rocían de vez en cuando por encima con el jugo que ellos tengan. El horno ha de estar más bien fuerte, pero no hay que dejarlos quemar. Moveremos la fuente de cuando en cuando para que no se peguen al fondo, pero al pescado no hay que tocarlo.

141.   Salmonetes levantinos

Ingredientes para 4 personas:

24 salmonetes pequeñitos
1/2 litro de vino blanco
2 cucharadas soperas de aceite
2 gramos de azafrán
5 tomates
perejil fresco
*hinojo, comino y tomillo (un pe-
llizquito de cada uno de ellos)*
1/2 hoja de laurel
2 dientes de ajo
1 limón
sal.

No vaciaremos los salmonetes, sólo les quitaremos las agallas lavándolos con agua fría y secándolos bien con una servilleta. A continuación echaremos el aceite en una tartera, haciéndolo correr de manera que tape bien el fondo; encima pondremos los salmonetes (han de quedar holgados), espolvoreándolos con sal fina y desparramando sobre ellos los ajos y el perejil previamente picados, los tomates mondados, sin pepitas y cortados en trozos, el laurel, el tomillo, el hinojo, los cominos y, por último el vino blanco. Hecho esto pondremos la tartera sobre el fuego y cuando rompa el hervor, bajaremos un poco la intensidad del fuego y lo cubriremos con una hoja de papel blanco engrasado con aceite, colocando además una tapadera y dejándolo cocer lentamente por espacio de 10 a 15 minutos, según el tamaño que tengan los salmonetes, retirándolos entonces del fuego y dejándolos enfriar en su salsa.

Ya fríos se retiran con cuidado para no romperlos poniéndolos en una fuente de mesa. Pasaremos la salsa por el chino, que verteremos por encima de los salmonetes, dejándolos en sitio fresco (mejor aún en el frigorífico) hasta el momento de servirlos. Cuando se vayan a presentar a la mesa se hará en una fuente, adornándolos con unas rodajas finas de limón.

142. Merluza con almejas

Ingredientes para 4 personas:
4 rodajas de merluza
1/2 cebolla
3/4 kilo de almejas
1 cucharada sopera de vinagre
3 cucharadas soperas de aceite
pan frito
sal.

3/4 de kilo de almejas

En una tartera o fuente de horno al fuego rehogaremos con dos cucharadas de aceite, a fuego lento, media cebolla de tamaño regular, muy picada, antes de que se dore, se ponen las rodajas de merluza con sal y dejándolas cocer lentamente, unos cinco minutos. Aparte, se hacen abrir, con una cucharada de aceite muy caliente las almejas, añadiéndoles, cuando se abran, la cucharada de vinagre. A los cinco minutos se les quitan las conchas y se ponen con su salsa en la fuente de la merluza, dejándolo todo a fuego lento, una media hora. Serviremos la merluza en la misma fuente, rodeándola de triángulos de pan frito.

143. Merluza guisada con chirlas

Ingredientes para 4 personas:
4 rodajas de merluza cortadas de la parte gruesa de la cola
200 gramos de chirlas
50 gramos de mantequilla
1/2 cucharada sopera de harina
1/2 vasito de vino blanco
unas gotas de jugo de carne
1/2 cebolla
perejil fresco
2 dientes de ajo picados
más harina
1/4 de litro de aceite
pimienta blanca en polvo
sal.

Lavaremos bien las chirlas, poniéndolas en una cacerola sobre el fuego para que se abran, retirándoles el «bicho» de dentro que guardaremos en una taza, así como el caldo de su cocción.

En los 50 gramos de mantequilla freiremos la cebolla picada y los ajos agregándoles la media cucharada de harina y, una vez dorado lo desleiremos, sobre el fuego, con dos cucharadas de agua, el vino blanco y el caldo de las chirlas, echaremos sal y pimienta dejándolo cocer durante 15/20 minutos.

Lavaremos las rodajas de merluza con agua, las sacaremos y pasaremos por harina friéndolas en aceite. Escurridas las colocaremos en una fuente poniendo las chirlas alrededor. Pasaremos la salsa por el chino. Rectificaremos de sal y pimienta y agregaremos unas gotas de jugo de carne y caliente la verteremos por encima espolvoreándolo, además, con perejil fresco picado.

144.   Merluza estofada

Ingredientes para 6 personas:
1 cola de merluza de kilo y medio
175 gramos de mantequilla
2 cucharadas soperas de harina
1/2 litro de agua
1 cucharada sopera de coñac
2 cebollas medianas
1 limón
perejil fresco picado
pimienta negra en polvo
agua
sal.

Limpiaremos la cola dándole unos pequeños cortes (para que no se reviente al cocer). Untaremos con mantequilla una fuente resistente al fuego, colocando en ella la merluza y echándole sal y pimienta y poniéndole alrededor las dos cebollas cortadas en aros y como medio litro de agua caliente, añadiremos el coñac y un buen chorro de limón. Taparemos la fuente y cuando rompa el hervor, la meteremos en el horno que estará moderado dejándola cocer durante unos 25 minutos.

Pondremos en una cacerolita 40 gramos de mantequilla y las dos cucharadas de harina, dejando que se haga sin tostarlo y añadiéndole caldo de la merluza hasta lograr una buena salsa ni clara ni espesa. Incorporaremos el resto de la mantequilla batiéndola bien con la salsa, y fuera del calor del fuego. Añadiremos el perejil picado y un buen chorro de limón echando la salsa sobre la cola de merluza y sirviéndola, rápidamente, a la mesa.

145.   Pescadillas Tere

Ingredientes para 4 personas:
500 gramos de pescadillas
75 gramos de mantequilla
1 cucharada sopera de harina
1 cebolla
1 diente de ajo
1/2 vasito de vino blanco que no sea ácido
1 cucharada sopera de tomate
unas gotas de jugo de carne
2 cucharadas soperas de pan rallado
perejil fresco picado
pimienta negra en polvo.

Es mejor pescadillas gruesas, que una vez escamadas las cortaremos en rodajas de unos dos centímetros de grueso cortando bien las raspas de los lados. Lavaremos las rodajas de pescadilla colocándolas en una fuente de horno, previamente untada con mantequilla; las echaremos sal y reservaremos.

Con todos los desperdicios de las pescadillas, la cebolla, agua, pimienta, ajo y sal haremos un caldo de pescado.

En la mitad de la mantequilla doraremos la harina y la echaremos un cazo del caldo de pescado así como el tomate y el vino, formando una buena salsa a la que añadiremos sal (recordando que ya el pescado la tiene).

Pondremos sobre el fuego la fuente que contiene las rodajas de pescadilla y verteremos sobre éstas la salsa adicionando unas gotas de jugo de carne y espolvoreando el pan y el perejil picados cubriremos con el resto de la mantequilla y meteremos en el horno (mediano) unos 10/15 minutos. Una vez que la superficie esté dorada ya podemos servir el pescado a la mesa.

146. Pescadillas al horno con limón

Ingredientes para 4 personas:
2 pescadilla enteras
1 vaso de aceite
1 lechuga
2 limones (su zumo colado)
50 gramos de pan rallado
sal.

Una vez limpias y arregladas las pescadillas las abriremos por en medio quitándoles la espina central, les daremos sal (pueden dejarse enteras con espina).

Daremos aceite a una fuente y colocaremos en ella las pescadillas echando el resto del aceite por encima y el zumo de los limones. Cubriremos con el pan rallado y meteremos la fuente al horno hasta que estén hechas.

Las serviremos con ensalada fresca de lechuga.

147. Pudín de atún con arroz

Ingredientes para 4 personas:
800 gramos de atún fresco
2 tazas de desayuno llenas de salsa bechamel espesa
1/2 taza de desayuno llena de queso rallado
2 tazas de desayuno llenas de arroz cocido
1/4 de taza de desayuno llena de jugo de limón
3 huevos crudos
2 cucharadas soperas llenas de perejil picado
2 cucharadas soperas llenas de pimiento rojo de lata picado
un poco de aceite.

Mezclaremos la salsa bechamel con el queso, añadiremos las yemas de los huevos, el arroz, el atún, el perejil y el pimiento. Batiremos las claras a punto de nieve y las incorporaremos a la mezcla anterior. Meteremos todo en un molde engrasado a horno caliente, 30 minutos.

Una vez hecho lo dejaremos enfriar y lo volcaremos sobre un plato.

148.   Atún a la parrilla

Ingredientes para 4 personas:
1 kilo de atún fresco
1 limón
1 vaso de aceite
2 dientes de ajo
perejil fresco
perejil fresco picado
sal.

Cortaremos el atún a filetes más bien gruesos a los que daremos sal y dejaremos en un plato echándoles un hilillo de aceite.

Estarán en maceración unos 30 minutos. Calentaremos la parrilla o la plancha y los asaremos con más aceite dándoles vueltas al objeto de que se hagan por un igual.

Picaremos los ajos y los uniremos al perejil y agregaremos el pescado asado con ellos y con unas gotas de limón. Muy sabroso.

149.   Atún encebollado

Ingredientes para 4 personas:
1 kilo de atún fresco
1 cebolla
3 tomates
3 dientes de ajo
perejil fresco
50 gramos de nueces sin cáscara
1/4 litro de aceite
400 gramos de pimientos frescos
sal.

Atún cortado en filetes delgados. Prepararemos un conjunto compuesto de cebolla picada, tomates mondados, despepitados y cortados a trozos, dientes de ajo y perejil picados, nueces majadas y sal.

En una tartera colocaremos el conjunto por lechos superpuestos: primero, el de cebolla, tomates, etc., sobre esto otro de filetes de atún, y así sucesivamente hasta concluir. Echar sal y pimienta y rociar con abundante aceite frito. Cubriremos con los pimientos verdes o encarnados, pelados y sin pepitas; meteremos en el horno hasta que esté bien cocido y la salsa en buen punto, sirviéndolo en la misma tartera en que lo hemos preparado.

150.   Atún valenciano

Ingredientes para 4 personas:
8 tajadas de atún o bien 4
tajadas si son grandes
100 gramos de harina
2 vasos de aceite
2 dientes de ajo

Preparadas las tajadas de atún, con sal, las pasaremos por harina friéndolas en la sartén al fuego, con aceite.

Las colocaremos en una cazuela cuando estén fritas. Haremos una majada en el mortero con perejil, los dientes de

2 papeletas de azafrán
perejil fresco
agua
sal.

ajo y el azafrán, disolviéndolo con unas gotas de aceite y un poco de agua, esto lo echaremos encima del pescado que dará un ligero hervor, sobre el fuego, en la cazuela.

Mejor si la cazuela es de «fang» (barro).

151.   Coca de Toñina

Ingredientes para 4 personas:
Ingredientes para la coca:
1 kilo de harina
1 taza de desayuno de aceite
1 taza de desayuno de agua.
Ingredientes para el relleno:
1/2 kilo de atún salado
1 cebolla
50 gramos de piñones
pimienta blanca en polvo
perejil fresco
1 pimiento fresco
1/4 kilo de tomates
4 cucharadas soperas de aceite.

Cómo haremos el relleno: en aceite caliente freiremos el pimiento y la cebolla ambos picados, añadiendo el atún, el tomate pelado y picado y los piñones.

Lo dejaremos cocer y, cuando se haya consumido el jugo de tomate, ya se puede utilizar.

Cómo haremos la masa: tostaremos la harina con el aceite hirviendo, añadiremos un poco de sal y cuando se enfríe incorporaremos el agua formando una masa como la del pan.

Extenderemos la masa con el rodillo y prepararemos unas tortas que se rellenan con el atún, se tapan con una lámina de pasta y se une los bordes haciendo un adorno de pellizcos, cociéndolas al horno hasta que estén doradas.

152.   Mero a la valenciana

Ingredientes para 4 personas:
800 gramos de mero
1 limón
1 cucharada sopera de harina
50 gramos de harina
3 dientes de ajo
agua
1/4 litro o menos de aceite
azafrán en hebra
perejil fresco
pimienta blanca en polvo
sal.

Una vez que hayamos limpiado bien el pescado lo cortaremos en rodajas, que lavaremos y daremos sal, echándoles unas gostas de limón. Las pasaremos por harina friéndolas en aceite caliente en el que previamente habremos frito los dientes de ajo (ajos que guardaremos), los freiremos hasta verlos dorados pasándolos seguidamente a una cazuela.

En la grasa sobrante echaremos la cucharada de harina y un poco de agua y sal. Majaremos los dientes de ajo en el mortero, junto con perejil fresco muy picado y el azafrán echando este majado a la harina con un poco de pimienta y más agua. Esta salsa, sin colar, se echará sobre el mero al que daremos un hervor de 10 minutos sobre el fuego sirviéndolo después a la mesa.

153. Mero con tomate

Ingredientes para 7 personas:
1 ¹/₂ kilo de mero
1 kilo de tomates convertidos en salsa
1/4 kilo de champiñones
2 dientes de ajo
1 vasito de vino blanco seco
2 vasos de aceite
pimienta negra en polvo
sal.

Cortaremos el mero en filetes, los lavaremos y pondremos al fuego en una fuente o besuguera con el aceite, sal y pimienta. Cuando se dore un poquito le echaremos el vino blanco dejándolo reducir cinco minutos y añadiendo los champiñones fileteados y salteados, con el ajo y la salsa de tomate.

Meteremos el pescado a horno moderado durante 15 minutos para que se haga lentamente todo junto.

Lo serviremos a la mesa en el mismo recipiente de cocción.

154. Zarzuela de pescado a la levantina

Ingredientes para 4 personas:
150 gramos de salmonetes
150 gramos de calamares
150 gramos de merluza
150 gramos de congrio
12 mejillones
4 langostinos pequeños
2 vasos de aceite
1 cucharada sopera de puré de tomate
3 dientes de ajo
50 gramos de harina
1 cucharada sopera de pimentón rojo dulce
azafrán hebra
1 cebolla
1 limón
perejil fresco picado
pimienta negra en polvo
sal.

Limpiaremos el pescado (salmonetes, calamares, merluza y congrio) cortándolo en trozos, quitaremos las cáscaras de los langostinos sazonándolo todo con sal fina y pasándolos por harina.

Echaremos aceite en una sartén al fuego y freiremos en él los trozos de pescado que iremos dejando, una vez fritos, en una cazuela, o bien una fuente resistente al fuego.

Una vez terminada la fritura rehogaremos, en la misma grasa la cebolla pelada y picada, así que empiece a tomar color añadiremos los dientes de ajo picados, el pimentón y el tomate, agregaremos el azafrán tostado y triturado y un vaso de agua, sazonando con pimienta y sal. Hervirá por espacio de 5/8 minutos echándolo después sobre el pescado.

Lavaremos bien los mejillones quitando todas sus raspas y haciéndolos hervir en una cucharada de agua, una vez abiertos dejaremos sólo la cáscara que contiene el «bicho» poniéndolos alrededor del pescado con cierta gracia, colocaremos el caldo que hayan dejado los mejillones en la sartén y lo adicionaremos también a la zarzuela. Meteremos la cazuela o fuente en el horno durante 10/12 minutos.

Al momento de ir a servir el pescado a la mesa lo adornaremos con abundante perejil fresco picado y trozos de limón.

155. «Borreta» de melva hervida

Ingredientes para 4 personas:
750 gramos de melva [1]
500 gramos de patatas
2 ñoras [2]
1 cabeza de ajo
1/4 litro de aceite, acaso más
1 cebolla
agua.

Pondremos un puchero al fuego con agua y le agregaremos la cebolla pelada y cortada por la mitad, la ñora, las patatas peladas y cortadas a cachos y la cabeza de ajo entera, así como un poco de sal.

Coceremos uno 30/45 minutos añadiendo después la melva que habremos tenido en maceración con aceite y sal (por espacio de 20/25 minutos).

Probaremos de sal y que cueza el pescado el tiempo suficiente para que esté hecho, generalmente entre 15 y 25 minutos. Podemos añadir un poco de picante.

En la región levantina se le llama «Borreta de melva bullida». Se comen pescado y patatas a la vez.

---

[1] Corvina.
[2] Pimiento seco.

156. Rape a la levantina

Ingredientes para 4 personas:
500 gramos de rape
1/4 litro de leche
1 cebolla no muy grande
1 diente de ajo
1 cucharada sopera de harina
perejil fresco
azafrán hebra
3 cucharadas soperas de aceite
sal.

Limpiaremos bien el pescado escamándolo perfectamente y haremos un majado en el mortero con la cebolla, el ajo y el perejil (dos o tres ramas), añadiendo, asimismo, unas hebras de azafrán. Lograda una especie de pasta, agregaremos la harina, desliéndola con aceite como si fuera ajo-aceite.

Incorporaremos luego la leche. Pondremos el pescado, cortado en trozos, en una cazuela y echaremos esta salsa por encima, colocándolo sobre el fuego y esperando que rompa a hervir, en cuyo momento bajaremos la intensidad de la lumbre para que siga cociendo suavemente.

Lo serviremos a la mesa inmediatamente que esté hecho.

157. Rape frito

Ingredientes para 4 personas:
500 gramos de rape
3 huevos
perejil fresco
1/4 litro de aceite
100 gramos de harina
2 limones
1 lechuga
sal.

Cortaremos en pedazos el rape (puede ser también filetes) golpeándolos y dándoles unos cortes con un cuchillo, no muy profundo, al objeto de que no se encojan al freírlos.

Los lavaremos y daremos sal pasándolos por harina y después por los huevos bien batidos.

Echaremos aceite a una sartén al fuego y en ella freiremos el rape de forma que tome un bonito color tostado pero sin quemarse.

Lo serviremos con rodajas de limón y hojas de lechuga.

158. Medallones de rape

Ingredientes para 4 personas:
300 gramos de rape
600 gramos de espinacas
200 gramos de merluza
4 huevos
400 gramos de patatas
200 gramos de guisantes
200 gramos de mantequilla
1/4 litro de aceite
1 cebolla
200 gramos de pan rallado
125 gramos de harina
2 vasos de leche
500 gramos de tomates
2 vasos de vino blanco seco
4 granos de pimienta
1 puerro
2 zanahorias
5 yemas
5 claras
agua
nuez moscada.

Coceremos en una cacerola al fuego la merluza, el rape con la pimienta, el puerro, la zanahoria y el vino blanco, sal y 1/2 litro de agua durante 25 minutos.

Cómo haremos el flan de espinacas: limpiaremos escrupulosamente las espinacas cociéndolas en agua hirviendo con sal y un poco de bicarbonato, escurrirlas después, pasarlas por agua fría y picarlas finalmente. Les adicionaremos la leche, una yema y dos claras, sazonando con sal y nuez moscada rallada e introduciéndolo en un molde flanero untado con mantequilla. Lo coceremos al baño María, en el horno, durante 30 minutos.

Cómo haremos el puré de patatas: pelaremos y dividiremos en trozos las patatas cociéndolas en agua con sal, ya hechas las escurriremos y pasándolas por el chino, incorporando 1 yema de huevo y 25 gramos de mantequilla y mezclando todo perfectamente.

Derretiremos en una sartén 50 gramos de mantequilla, añadiendo después 50 gramos de harina, el pescado, desmenuzado y desprovisto de espinas y pellejo y 1/4 litro de caldo donde se coció éste y trabajando el conjunto con un batidor durante 10 minutos en el fuego, echaremos una yema de huevo cociéndolo y trabajándolo a la vez, 10 minutos más. Lo dejaremos enfriar.

Espolvorearemos con harina una mesa de mármol formando en ella con el pescado 12 discos que pasaremos por huevo batido y pan relleno y freiremos en aceite caliente.

Haremos una salsa de tomate corriente con tomates, cebolla y aceite y la pasaremos por el colador o pasapuré o mano batidora.

Coceremos los guisantes, si son frescos, en agua hirviendo con un poco de sal y los saltearemos en mantequilla.

Cómo haremos la salsa fumé: coceremos en un cacito 50 gramos de mantequilla, un cuarto de litro del caldo restante del pescado, dos yemas de huevo y 25 gramos de harina durante 20 minutos, trabajando al mismo tiempo con un batidor hasta obtener una salsa espesa y fina, que sazonaremos con un poco de sal.

Colocaremos en el centro de una fuente redonda el molde de espinacas y decoraremos su superficie con discos de zanahoria. Pondremos alrededor del flan unas cucharadas de puré de tomate, sobre éste los medallones de rape y encima de cada uno de éstos una cucharilla de la salsa fumé. Entre medallón y medallón y mirando hacia fuera, formaremos unos pequeños nidos con el puré de patatas introducido en manga con boquilla lisa y eharemos los guisantes.

Por separado serviremos el resto de la salsa de tomate y la salsa fumé.

159. Puchero de pulpo

Ingredientes para 4 personas:
1 kilo de pulpo
2 cardos, 1 boniato
1 «nabico» (nabo)
1 cabeza de ajo
1 taza de harina de trigo
1 vaso de aceite
1 sobre de azafrán en hebra
pimienta blanca en polvo
agua, sal.

Golpearemos bien el pulpo para que se ponga tierno. Prepararemos los cardos quitándoles sus hilos, pelaremos el boniato y el «nabico» que será gordo y tierno y los trocearemos procediendo a cocer todo, con agua, el aceite, sal y un poco de pimienta, agua sólo la justa para que se haga sin pegarse.

Cuando el pulpo esté tierno retiraremos el caldo y lo pondremos al fuego. Desharemos la harina de trigo en un poco de agua fría y lo verteremos en el caldo para hacer así las «farinetas».

Como primer plato serviremos las «farinetas», y como segundo plato el pulpo.

160. Jibia con arroz

Ingredientes para 4 personas:
1 jibia de 800 gramos de peso
1 cebolla
1 cucharada sopera de pimentón rojo dulce
7 cucharadas soperas de aceite
1/4 kilo de arroz
agua
sal.

Limpiaremos la jibia cortándola en pedazos que coceremos en agua con un poco de sal, hasta que esté tierna.

Echaremos el aceite en una sartén al fuego y cuando esté caliente freiremos en ella la cebolla, pelada y picada, muy poco a poco. Cuando esté blanda añadiremos el pimentón incorporando este sofrito a la jibia, sazonaremos con sal y completaremos con agua que cubra la jibia.

Hervirá el tiempo suficiente para ablandarse (40/45 minutos).

Antes de dar por finalizada la cocción echaremos el arroz, añadiendo más agua y dejando cocer un cuarto de hora más. Separada del fuego reposará cinco minutos sirviéndola después a la mesa. Debe quedar el arroz, jugoso, con un poco de caldo más bien seco y la jibia tierna y sabrosa.

161. Lenguado a la naranja

Ingredientes para 4 personas:
4 lenguados medianos
5 naranjas
50 gramos de mantequilla
1/4 kilo de patatas
perejil fresco
agua
sal.

Limpiaremos bien el pescado dejándolos enteros les echaremos sal y los pondremos en una fuente refractaria untada previamente con mantequilla.

Lo meteremos al horno hasta que tome color.

Cuando falte un poco le incorporaremos las naranjas cortadas a gajos, alrededor del pescado. Retirado del horno le agregaremos las patatas hervidas al vapor como guarnición.

162. Lenguado en filetes con setas

Ingredientes para 4 personas:
1 1/4 kilos de lenguado en filetes

Colocaremos los filetes de lenguado enroscados en una fuente de horno untada de mantequilla (o aceite fino) de-

salsa bechamel
100 gramos de mantequilla
agua
1 vasito de vino blanco
1 huevo duro
1/2 kilo de setas frescas
50 gramos de queso rallado
sal.

jando libre el centro, metiéndoles en el horno (cubriéndolos con un papel engrasado, si el horno está fuerte) unos 10 ó 15 minutos. Haremos una bechamel clarita y prepararemos unas setas (secas o de lata, si no las hubiera frescas) y las rehogaremos en mantequilla echándoles un poco de agua y el vino blanco, hasta que estén tiernas, colocando una sobre cada filete de lenguado y las sobrantes en el centro. Alrededor pondremos la salsa bechamel, echando por encima un huevo duro picado, y metiendo todo en el horno después de espolvorearlo con queso rallado. En cuanto esté doradito lo serviremos en la misma fuente a la mesa.

163. Filetes de lenguado al buñuelo

Ingredientes para 4 personas:
4 filetes medianos de lenguado
2 limones
perejil fresco
pimienta blanca en polvo
1/4 de litro, o acaso menos, de aceite.
Ingredientes para la pasta:
150 gramos de harina
1/2 cucharilla de café, de sal
1 cucharada sopera de aceite
1 clara de huevo
agua.

Lavaremos los filetes de pescado y los secaremos con una servilleta o papel echándoles sal, pimienta y el zumo colado de los limones dejándolos 30 minutos en esta especie de adobo o maceración.

Prepararemos la pasta para freír echando la harina en un cazo añadiendo la sal y el aceite y mezclando con agua (la suficiente para que quede cremosa y no muy clara) que repose unos 10/15 minutos.

Retiraremos el pescado de su adobo y los sacaremos. Incorporaremos la clara de huevo a la pasta batida a punto de nieve.

Calentaremos el aceite de freír, echaremos los filetes en la pasta y después en el aceite muy caliente (dejándolos hasta que estén bien dorados). Cuando estén a punto, los pondremos en una fuente decorando con trozos de perejil fresco.

164. Filetes de lenguado rellenos

Ingredientes para 4 personas:
12 fietes de lenguado
100 gramos de jamón de York

Lavaremos y secaremos los filetes de lenguado, sazonándolos con sal y pimienta y colocando la mitad de los filetes en una fuente refractaria con la manteca.

50 gramos de aceitunas verdes
1 cucharada sopera de alcaparras
150 gramos de champiñones
12 puntas de espárragos
1 copita de jerez seco
1 taza de desayuno de salsa mahonesa
1 limón
50 gramos de manteca de cerdo
perejil fresco
pimienta blanca en polvo
sal.

Aparte prepararemos un picadillo compuesto por el jamón, las aceitunas, las alcaparras y perejil, poniendo todo esto por encima de cada filete, colocando el resto de los filetes de lenguado encima y sujetándolos con palillos.

Los rociaremos con el jerez y los meteremos a horno moderado, durante 10 minutos. Retirados los dejaremos enfriar, pasándolos a una fuente y cubriéndolos con la salsa mahonesa, adornándolos con los espárragos, los champiñones cocidos aparte y el limón cortado en gajos.

Este plato también se puede hacer con filetes de gallo.

165. Filetes de lenguado a la levantina

Ingredientes para 4 personas:
800 gramos de lenguado
1/4 litro de aceite
3 huevos
100 gramos de pan rallado
400 gramos de calabacines
1 trufa
salsa de tomate
1 limón
sal.

Prepararemos los lenguados en filetes que rebozaremos en huevos batidos y pan rallado friéndolos en aceite muy caliente.

A medida que estén fritos los colocaremos en una fuente ovalada, adornándolos alrededor con rodajas de calabacines fritas en aceite, una salsa de tomate, unos trocitos de trufa y el limón.

El limón es para, si gusta, regar con su zumo los filetes antes de comerlos.

166. Plato de lenguados

Ingredientes para 4 personas:
400 gramos de lenguados
1 cucharada sopera de harina
100 gramos de pan rallado
100 gramos de mantequilla
600 gramos de patatas
5 huevos
perejil fresco

Limpiaremos los lenguados quitándoles la cabeza, la piel negra del lomo y la piel blanca del vientre, los sazonaremos luego con sal pasándolos por harina, huevos batidos y pan rallado.

Colocaremos en un asador la mitad del aceite y el pescado, poniendo sobre él unos trozos pequeños de mantequilla introduciendo el asador al horno, donde estará por espacio de 15 minutos.

3 vasos de aceite
1 copita de vinagre
un poco de estragón
1 limón
sal.

Cómo haremos la salsa: reduciremos al fuego, en un cazo, el vinagre, estragón, hasta la mitad, dejándolo enfriar un poco y adicionando tres yemas de huevo, revolviendo al mismo tiempo para que éstas no queden cocidas.

Después de mezclarlas bien, pondremos el cazo a fuego lento batiendo su contenido con un batidor, hasta obtener una salsa espesa.

Derretiremos el resto de la mantequilla, mezclándola después, fuera del fuego, con la salsa de huevo anteriormente preparada, igual que si se tratara de una salsa mahonesa; sazonando con sal y perejil picadito.

Pondremos el pescado en el centro de una fuente y colocaremos a su alrededor las patatas, previamente peladas, cortadas en forma de avellanas, hervidas durante dos minutos y fritas con el resto del aceite. Verteremos la salsa sobre el pescado adornándolo, por último, con rodajas de limón.

167. Bocaditos de lenguado

Ingredientes para 4 personas:
8 filetes de lenguados pequeños
3 huevos
2 cucharadas soperas, de harina
1 vaso de agua de vino blanco
1 vaso de agua
1/4 litro de aceite, o más
100 gramos de pan rallado
agua
perejil fresco
2 limones, sal.

Despellejaremos los lenguados sacando los filetes a lo largo. Los freiremos, con sal, en aceite dejándolos escurrir bien. En un perolito pondremos un poco de aceite ya frito, la harina, el vino y el agua, que ha de estar caliente, removeremos para que no se agarre y lo coceremos hasta que tenga la consistencia de una bechamel espesa. Introduciremos los filetes en la salsa, los pasaremos por pan rallado, después por huevos batidos y otra vez por pan rallado, friéndolos en aceite caliente los serviremos en una fuente, adornados con perejil y gajos de limón.

168. Lubina Albufera [1]

Ingredientes para 4 personas:
2 lubinas de 600 gramos cada una
1/2 cebolla

Limpiaremos bien las lubinas quitándoles cabezas y espinas dorsales y, con ambas cosas, haremos un buen caldo de pescado junto con la cebolla, el diente de ajo, perejil, agua y sal. Reservaremos los filetes cortándolos a tamaño regular.

1 diente de ajo
agua
sal
salsa «Albufera»
perejil fresco
2 pimientos encarnados de lata
50 gramos de piñones
300 gramos de quisquillas.

Cómo haremos la salsa «Albufera»: pondremos en un mortero ocho dientes de ajo, perejil, orégano, hierbabuena y almedras, picando todo ello muy bien.

En un recipiente aparte, freiremos 200 gramos de harina, 150 gramos de almendras ralladas o molidas, una vez que el sofrito empiece a tomar color añadiremos la majada anteriormente preparada, con una cucharilla de café, de pimentón rojo dulce y añadiremos el caldo de las espinas del pescado dejándolo cocer lentamente.

Cómo haremos el pescado: en una fuente que resista el calor del horno, dispondremos los trozos de pescado, limpios de espinas, y verteremos la salsa por encima, haciéndolos hervir ligeramente (10/12 minutos) sobre el fuego e introduciendo después ésta en el horno hasta su total cocción.

Decoraremos el plato con tiras de pimiento encarnado, quisquillas peladas, mejillones y unos piñones fritos y lo serviremos muy caliente y, a ser posible, en el mismo recipiente de cocción.

---

[1]   Receta de don Sixto Casabona Moreno, «Restaurante Viveros», Valencia.

NOTA: Esta salsa «Albufera» es otra versión de la receta del mismo nombre. Existe más de un procedimiento para hacerla. Ver Capítulo V: Salsas.

169.   Lubina cocida

Ingredientes para 4 personas:
1 lubina de 1 kilo o más de peso entera, agua
1 vasito de vino blanco
1/2 cebolla
perejil fresco
1/2 hoja de laurel
1/2 zanahoria
patatas cocidas al vapor
1 lechuga
2 huevos duros, sal.
1 cucharada sopera de aceite
salsa fría al gusto [1]

Una vez limpia la lubina procederemos a lavarla y escurrirla cociéndola en agua a la que añadiremos el vino blanco, la cebolla, unas ramas de perejil fresco, el laurel, la zanahoria a rodajas y sal. En este caldo echaremos el pescado a que cueza unos 20/25 minutos retirándolo después y dejándolo enfriar en una fuente poniendo, alrededor, rodajas de huevo duro, patatas cocidas al vapor y hojas de lechuga.

La serviremos con una salsa fría que puede ser mahonesa o vinagreta u otra que más nos guste.

---

[1]   Consultar Capítulo V: Salsas.

170. «Cru de peix[1]»

Ingredientes para 4 personas:
1 pescadilla de 1 200 gramos de peso
500 gramos de patatas
150 gramos de gambas
150 gramos de cigalas
2 tomates
1 vasito de aceite
1 diente de ajo
perejil fresco
1 cucharada sopera de pimentón rojo dulce
pimienta blanca en polvo
azafrán en hebra
sal.

Pelaremos las patatas y las cortaremos a ruedas, del grosor de un dedo, colocándolas en el fondo de una cazuela.

La pescadilla la cortaremos un poco más gruesa y la pondremos sobre las patatas.

Sobre el pescado colocaremos el marisco bien limpio y entero. Pelaremos los dientes de ajo y los cortaremos a ruedas, trincharemos el perejil y ambos los uniremos con el tomate picado, por último, espolvorearemos el pimentón, pimienta y azafrán, agregando un vaso pequeño de aceite, y agua hasta que lo cubra todo, y sal, dejándolo cocer bien sobre fuego lento.

Si lo deseamos más caldoso, se puede condimentar sin las patatas.

---

[1] «Cru de peix» recibe también los nombres de «cruet», «llauna» o «souquet».

171. «Excabetx»

Ingredientes para 3 personas:
1/2 kilo de sardinas[1] frescas
1/2 kilo de alcachofas frescas
200 gramos de ajos tiernos
2 hojas de laurel
perejil fresco
1/4 litro de aceite, acaso menos
1 vaso de buen vinagre
2 cucharadas soperas de pimentón rojo dulce
agua
sal.

Limpiaremos las sardinas de tripas y podemos dejarlas la cabeza, o no, según queramos. Bien lavadas y escurridas las secaremos con un papel de cocina procediendo a darles sal y freirlas en aceite caliente; ya fritas las reservaremos friendo, en la misma grasa, las alcachofas limpias, troceadas y con sal.

En una cacerola al fuego con aceite, freiremos la cebolla y agua, sal, el vinage, perejil picado, el laurel y el pimentón. Cuando esté hirviendo adicionaremos las sardinas y las alcachofas, dejándolas cocer unos 10/15 minutos.

En ocasiones, en un perolet (perol), suele hacerse mayor cantidad reservándolas para días sucesivos, a modo de plato frío.

---

[1] Excelentes las de la isla de Nueva Tabarca.

172. Sardinas con tomate

Ingredientes para 4 personas:
20 sardinas
3 pimientos frescos
1 cebolla
3 dientes de ajo
perejil fresco
pimienta negra en polvo
azafrán hebra
1/4 litro de aceite
1 taza de desayuno de salsa de tomate.

Limpiaremos bien las sardinas, despojándolas de escamas y cabeza, a la vez que les quitaremos las tripas.

Echaremos la salsa de tomate en una cazuela de barro, sobre esta capa colocaremos la mitad de las sardinas, que cubriremos con parte de un picadillo hecho a base de los pimientos, la cebolla, los ajos y el perejil, todo ello trinchado muy menudo y sazonado con sal, pimienta y azafrán.

Sobre esta capa dispondremos las otras sardinas, que cubriremos con una nueva capa del picadillo (el resto que nos quede).

Rociaremos entonces todo con aceite abundante y lo pondremos a cocer a fuego lento, hasta que esté en su punto.

Moveremos de vez en cuando la cazuela para evitar que las sardinas se peguen.

Bastará un cuarto de hora para que el guiso esté listo.

173. Sardinas al horno

Ingredientes para 4 personas:
800 gramos de sardinas
1 limón
100 gramos de pan rallado
2 dientes de ajo picados
perejil fresco
2 vasos de aceite
sal.

Limpiaremos bien las sardinas quitándoles las raspas y dejándolas abiertas como un libro; les echaremos sal y les exprimiremos sobre ellas unas gotas de limón untándolas con aceite crudo y, a continuación, las pasaremos por pan rallado, el cual estará mezclado con ajo y perejil, ambos muy picaditos. Las colocaremos espaciadas en una tartera refractaria de las que resisten el fuego (o, más clásicamente, una cazuela de barro), que habremos untado por dentro con aceite. Las rociaremos con unas gotas de aceite y las asaremos al horno hasta que el pan esté tostado. Durante su horneo las iremos rociando con el aceite que va quedando en el fondo de la cazuela. Se sirven en la misma cazuela de cocción.

174.   Mujol a la sal

Ingredientes para 4 personas:
1 mujol de 1 kilo de peso
sal gruesa
2 limones.

Pasaremos un trapo por el pescado, entero y con sus tripas, no lo mojaremos en una fuente de horno (honda) prepararemos el mujol cubriéndolo con mucha sal (más de un kilo) que se forme un dedo de espesor de sal apretando bien.

Lo meteremos en el horno y cuando la sal comience a agrietarse es señal de que ya está hecho. Retiraremos la sal y con ella irán adheridas la piel y las escamas.

Lo serviremos recién hecho con gajos de limón.

Para el buen éxito de esta receta el pescado debe ser muy fresco, capturado, a ser posible, el mismo día.

175.   «Suc amb peix»

Ingredientes para 4 personas:
1 kilo de pescado [1]
1/2 kilo de tomates
1 vaso de aceite
1 cucharada sopera de pimentón rojo
dulce
sal
agua.
Para el majado:
2 dientes de ajo
perejil fresco
sal.

En una cazuela al fuego pondremos, aproximadamente, la mitad del tomate, debidamente picado. Encima colocaremos el pescado y, sobre éste, el resto del tomate, espolvoreándolo con el pimentón y echando sal.

En un mortero, haremos una picada con los ajos, perejil y sal, virtiendo su contenido a la cazuela, seguidamente añadiremos el vaso de aceite y otro de agua casi cubriendo el pescado.

Lo pondremos sobre el fuego dejándolo cocer bien, cuando quede poco «suc» (caldo), lo retiraremos.

Si, en vez de pescados como melva y merluza, se confecciona este plato con mero o dorada, resultará mucho más sabroso.

---

[1]   Pueden ser melva y merluza.

176.   Congrio con almejas y pimientos verdes

Ingredientes para 4 personas:
8 rodajas de congrio

En una cacerola, al fuego, con aceite freiremos la cebolla y los pimentos, cuando estén muy hechos incorporaremos las

1/2 cebolla picada
500 gramos de pimientos
verdes cortados a tiras
500 gramos de almejas
1/4 litro de aceite
sal.

rodajas de pescado, con sal dejando que se haga lentamente.

En un pote, con una cucharada de aceite, abriremos las almejas que, una vez abiertas, se incorporarán al pescado dejando hervir el conjunto como 1/4 de hora.

Este plato es bueno hacerlo dos o tres horas antes, conservarlo caliente en su propia salsa y servirlo.

177. «All i pebre» de anguilas

Ingredientes para 4 personas:
2 anguilas
2 vasos de aceite
2 dientes de ajo
1 guindilla
pimentón rojo dulce
1 vaso de agua
sal.

Echaremos aceite en una cazuela al fuego y, una vez que el aceite esté un poco caliente incorporaremos los ajos un poco machacados y la guindilla. Cuando estén un poco fritos añadiremos el pimentón rojo, el agua y sal. Una vez que esto hierva adicionaremos las anguilas con un tiempo de cocción de 1/2 hora, tendrán ya suficiente.

La salsita debe quedar espesa.

Elegir de preferencia la anguila o anguilas de la clase «maresa» que son las mejores.

El «all i pebre» de anguilas es típico de Denia.

NOTA: La anguila o anguilas se deben despellejar y lavar bien antes de utilizarse; pueden ponerse enteras, pero lo corriente es cortaras en trozos de 10 centímetros de grueso.

178. Anguilas con guisantes

Ingredientes para 4 personas:
1 anguila gorda
1/2 cebolla
1 zanahoria
pimienta negra en polvo
1 kilo de guisantes tiernos
harina
2 cucharadas soperas de aceite
caldo
sal.

Limpiaremos y despellejaremos bien la anguila cortándola en pedazos.

En una cacerola al fuego echaremos las dos cucharadas de aceite y rehogaremos lentamente media cebolla y la zanahoria ambas muy picadas, añadiendo luego un poco de harina, dejándola rehogar a fuego lento, hasta que empiece a dorarse la cebolla. Pondremos la anguila, bien sazonada de sal y pimienta, y el kilo de guisantes dejándolo hervir, muy tapado, lentamente, unos 20 minutos. Si notamos que está un poco seco le añadiremos un poco de caldo de carne.

ADVERTENCIA: Si los guisantes no son tiernos, añadiremos caldo antes de poner la anguila y lo coceremos el tiempo preciso para que éstos se ablanden.

179. Anguila en escabeche

Ingredientes para 4 personas:

1 anguila gorda
1 hoja de laurel
4 cucharadas soperas de aceite
perejil fresco
1 cucharilla de café de vinagre
2 dientes de ajo
agua.

Echaremos aceite en una sartén al fuego, y en él freiremos la hoja de laurel dejándola en un plato y friéndo, a continuación, la anguila bien limpia y despellejada y con sal y pimienta.

En un mortero majaremos la hoja frita de laurel a la que uniremos los ajos pelados, perejil picado, el vinagre, sal y un poquito de agua. Este majado lo pondremos en la sartén al fuego y, al levantar el hervor le añadiremos la anguila frita rehogándola rápidamente, como dos minutos y retirándola ya a una fuente de servir.

180. Salmón asado al horno

Ingredientes para 3 personas:

3 rodajas de salmón con peso
cada una de 200 gramos
100 gramos de mantequilla
100 gramos de pan rallado
perejil fresco picado
pimienta blanca en polvo
salsa al gusto, sal.

Rebozaremos el salmón en mantequilla, pan rallado y perejil muy picado, sazonando con sal y un poco de pimienta, asándolos en una tartera untada de mantequilla.

Los meteremos en el horno rociándolos con su misma salsa. Este pescado se sirve muy caliente y, aparte, se acompaña una salsa mahonesa o la salsa que se prefiera.

181. Salmón a la parrilla

Ingredientes para 3 personas:

3 rodajas de salmón con un peso
cada una de 200 gramos
600 gramos de patatas
400 gramos de guisantes cocidos
o de lata

Haremos un puré con las patatas mezclando la mitad del mismo con la lata de los guisantes reducidos a puré, sazonaremos después éste y el de patata con un vaso de leche, mantequilla y sal, introduciendo cada uno de ellos en una manga provista de boquilla rizada. Haremos con ambos un

2 vasos de leche
50 gramos de mantequilla
5 cucharadas de aceite
3 limones
sal
agua.

montículo en el centro de una fuente redonda, combinando los colores y reservando un poco de cada uno en las mismas mangas.

Remojaremos las rodajas del salmón en leche, sal y limón, rociándolo con harina momentos antes de freírlas fuertemente en una sartén con abundante aceite y dorándolas por ambos lados. Las colocaremos seguidamente sobre la plancha de la cocina untada con aceite y tostándolas por ambos lados por espacio de 10 minutos.

Pondremos las lonchas del salmón, bien calientes, rodeando el montículo, hecho con los purés, adornando el contorno de la fuente con el resto de los purés, alternando los colores e intercalando, entre las lonchas del salmón, unas rodajas hechas con limón.

182. Angulas picantes

Ingredientes para 1 persona:
125 gramos de angulas [1]
1 vasito de aceite fino
1/2 guindilla
1 diente de ajo
sal fina.

Haremos las angulas en un perol o cazuelita de barro individual sobre el fuego echando el aceite, friendo el diente de ajo, pelado y cortado por su mitad, y la guindilla, le daremos unas vueltas e incorporaremos las angulas.

A continuación, se van moviendo con un tenedor de madera y, a los cinco minutos, se apartan del fuego tapadas, dejando que, con el calor que guarda el recipiente, termine la cocción.

Se trata de un plato propio de los meses de enero o abril, época de las angulas.

---

[1] Excelentes las de Guardamar.

183. Truchas doradas

Ingredientes para 6 personas:
1 kilo de truchas
1/4 litro de aceite
pimienta blanca en polvo

Lavaremos las truchas y pondremos en la parte de dentro de cada una, dos hojas de salvia y una hoja de romero.

En una sartén al fuego calentaremos aceite, añadiendo los pescados y dorándolos por ambos lados. Echar la sal y

un poco de romero
un poco de salvia
1 vasito de vino blanco
1 limón
sal.

pimienta y, después los rociaremos con vino blanco que haremos evaporar a fuego vivo. Retiraremos las truchas del fuego, las rociaremos con limón y las serviremos calentísimas.

184. Almejas a la marinera (1.ª forma)

Ingredientes para 4 personas:
1 kilo de almejas
3 vasos de aceite
3 dientes de ajo
perejil fresco
2 cucharadas soperas de pan rallado
250 gramos de arroz
agua
1 limón
1 vaso de vino blanco seco
1 cebolla
1 zanahoria
sal.

Dispondremos en una cacerola las almejas que serán de buen tamaño con unas cucharadas de agua, tapándola y poniéndola sobre fuego lento, donde estarán hasta que se abran. Quitaremos la tapa de las almejas que haya quedado sin carne y colocaremos en un gratinador las que contengan el «bicho».

Saltearemos en una sartén, con aceite, los dientes de ajo picados, agregaremos después un puñado de perejil muy picado y seguidamente el agua desprendida por las almejas (previamente pasado por un lienzo o trapo limpio), el vino blanco y el pan rallado. Haremos el conjunto unos minutos hasta que quede espeso vertiéndolo sobre las almejas.

Cómo haremos el arroz blanco: freiremos un poco en una cacerola, con aceite, un trozo de cebolla, la zanahoria y un diente de ajo añadiendo después el arroz. Saltearemos éste incorporando seguidante medio litro de agua hirviendo, sal y unas gotas de zumo de limón, cociendo el conjunto, lentamente, hasta que el arroz quede seco. Tapado entonces herméticamente, lo introduciremos al horno durante diez minutos y echándolo después en un molde, apretándolo bien y dándole la vuelta sobre una fuente redonda, con cuidado, para mantener la forma adquirida.

Las almejas se pondrán alrededor.

185. Almejas a la marinera (2.ª forma)

Ingredientes para 4 personas:
1 kilo de almejas

Lavaremos las almejas teniéndolas después unos 20 minutos en agua para que suelten toda la arena. En una cazuela al

3 cucharadas soperas de aceite
1 diente de ajo
1 cucharada sopera de vinagre
perejil fresco
pan rallado
1 vasito de caldo (puede no hacer falta)
pimienta blanca en polvo
1 cebolla
pan frito.

fuego echaremos las cucharadas de aceite y la cebolla picada. Cuando empiece a dorarse, añadiremos las almejas y dejaremos la cazuela bien tapada, a fuego vivo, añadiendo el diente de ajo muy picado y la cucharada de vinagre; así que estén abiertas, las dejaremos cocer lentamente unos 15 minutos.

Unos 10 minutos antes de servirlas, les echaremos una cucharada de pan rallado y otra de perejil picado. Removeremos la cazuela, tomándola por las asas, para que espese la salsa, y la tendremos sobre el fuego a marcha lenta. Si se ve que el guiso está algo seco, le añadiremos un poco de caldo.

No debemos echar sal, pero sí un poco de pimienta negra en polvo.

Las serviremos con rodajas de pan frito.

186. Almejas a la valenciana

Ingredientes para 4 personas:
1 kilo de almejas
2 tomates
1 pimiento fresco
1 diente de ajo
pimienta negra en polvo
perejil fresco
1 vaso de aceite, sal.

Freiremos los tomates pelados y picados en una cazuela con aceite, añadiéndoles el pimiento cortado en trozos y sin semillas. Adicionaremos las almejas bien limpias y las daremos unas vueltas hasta que se abran, incorporando entonces el diente de ajo picado, sal, pimienta negra y perejil picado, sirviéndolas rápidamente a la mesa.

187. Almejas con arroz

Ingredientes para 4 personas:
1 kilo de almejas
4 cucharadas soperas de aceite
3 cucharadas soperas de arroz
caldo de carne (como 1/2 litro)
perejil fresco
2 dientes de ajo picados
el zumo colado de 1 limón
sal.

Lavaremos perfectamente las almejas y las pondremos, escurridas, en una cazuela con el aceite caliente añadiéndoles los dientes de ajo, perejil picado, el zumo del limón y sal. Las removeremos agregando ahora el arroz y el caldo dejándolas cocer justo 15 minutos.

Para servirlas utilizaremos una fuente y lo haremos después de que hayan reposado cinco minutos fuera del calor del fuego.

188. Almejas a la bechamel

Ingredientes para 4 personas:

500 gramos de almejas gordas
2 tazas de desayuno de salsa bechamel
1/4 de litro de aceite
100 gramos de pan rallado
3 huevos, sal.

Después de bien lavadas las almejas las abriremos en una fuente al horno, retirando el «bicho» de dentro que pasaremos por la salsa bechamel, después por los huevos batidos y el pan rallado friéndolas en aceite caliente puesto al fuego en una sartén.

Serviremos estas almejas recién hechas.

189. Cazuela de almejas

Ingredientes para 4 personas:

1 kilo de almejas muy frescas
4 cucharadas soperas de aceite fino
2 dientes de ajo picados
perejil fresco picado
1 cebolla picada
4 cucharadas soperas de pan rallado
1 vasito de vino blanco seco
el zumo colado de 1 limón
agua, sal.

Pondremos las almejas en agua fría con un puñado de sal y las dejaremos así, a remojo, por espacio de 15 minutos.

Calentaremos el aceite en una cazuela de barro al fuego, y freiremos en él la cebollá, así que esté frita incorporaremos las almejas escurridas de su agua y que se frían, dándoles vueltas para que se abran. Añadiremos el zumo del limón, el vino, el pan rallado, el ajo y el perejil y un poco de agua, pero muy poco. Que hiervan poco a poco unos 10 minutos, echaremos sal en la salsa y las serviremos en la misma cazuela de barro.

190. Mejillones para entremeses

Ingredientes para 4 personas:

1 200 gramos de mejillones
2 tazas de salsa fría [1]
agua
1 vasito de vino blanco
sal.

Rasparemos bien los mejillones y los pondremos en un pote o cazo al fuego con el vino y la misma cantidad de agua y sal, para que se abran. Los dejaremos que cuezan un poco para que el «bicho» se haga bien.

Fuera del calor del fuego retiraremos una de sus cáscaras, la vacía, y los dispondremos en una fuente cubriéndolos con la salsa elegida. Los mantendremos en el frigorífico, parte media, hasta el momento de servirlo a la mesa.

---

[1]   Puede ser mahonesa, vinagreta o simplemente salsa de tomate picante.

191.   Langostinos fríos

Ingredientes para 1 persona:
4 langostinos frescos o congelados (300 gramos de peso)
agua
sal.

Lavaremos los langostinos. Si son congelados los lavaremos igualmente y no es preciso dejarlos que se descongelen.

Pondremos abundante agua a hervir con sal (el doble de la que se pondría normalmente) y, cuando esté hirviendo echaremos los langostinos. El agua dejará de hervir, hay que vigilar el momento en que lo haga para contar entonces unos ocho minutos exactos de cocción del marisco. Apartados del fuego los dejaremos reposar, en el agua caliente y tapados, tres minutos. Pasados éstos los escurriremos y dejaremos que se enfríen, después los meteremos en el frigorífico hasta el momento de servirlos.

Los serviremos solos o bien acompañados de una salsa mahonesa.

NOTA: Los considerados como mejores langostinos son, sin duda, los de Guardamar. Muy buenos también los de Vinaroz.

192.   Langostinos cocidos

Ingredientes para 4 personas:
1 kilo de langostinos
agua
sal.

Echaremos los langostinos en agua hirviendo, sin sal, cociéndolos durante tres o cuatro minutos según tamaño. Prepararemos una vasija o fuente honda con agua fría y mucha sal, echando en ella los langostinos, en cuanto están cocidos, y teniéndolos durante 30 ó 40 minutos en ese agua; pasados los cuales los escurriremos y serviremos.

193.   Cazuelitas de langostinos

Ingredientes para 4 personas:
16 langostinos que sean gordos
4 cucharadas soperas de mantequilla

Prepararemos cuatro cazuelitas de barro individuales al fuego y en ellas repartiremos la mantequilla rehogando cuatro langostinos en cada una (o sea, los 16 que tenemos) los haremos bien agregando, después, el pan rallado, sal, un poco de vino blanco y agua.

*4 cucharadas soperas de pan
rallado
1 vasito de vino blanco
1 vaso de agua, sal
1 limón.*

Los serviremos cuando hayan hervido en el agua y el vino unos 10/12 minutos, adornándolos con trozos de limón.

194. Delicias de langostinos

Ingredientes para 4 personas:
*4 langostinos gordos cocidos y
pelados
gelatina
2 patatas cocidas
2 cucharadas soperas de salsa
mahonesa
1 huevo duro
1 trufa.*

Cómo haremos la gelatina: coceremos en un puchero una pata de ternera, con un litro de agua, 300 gramos de carne de buey, 50 gramos de jamón cortado en pedacitos, una zanahoria, dos puerros, una cebolla y perejil, hasta obtener un buen caldo, el cual colaremos después, adicionaremos una copa de jerez. Cuando se haya enfriado, agregaremos dos claras sin batir, un poco de jugo de carne y dos hojas de cola de pescado remojadas de antemano, con un poquito de agua templada, colocándolo seguidamente en el fuego, donde se batirá sin cesar, incorporando, cuando comience a hervir, una copita de agua fría repartida en dos o tres veces. Cuando se separe la espuma lo pasaremos por un colador muy tupido.

Introduciremos dos cucharadas de gelatina anterior dentro de cuatro moldecitos poniento éstos sobre hielo para que cuajen y decorándolos, cuando esté dura, con unos pequeños discos de clara de huevo duro y trufa. Verteremos encima otra cucharada más de gelatina líquida, dejándola cuajar y poniendo seguidamente sobre ella un langostino cocido y pelado. Llenaremos los moldes con gelatina, cuajando nuevamente ésta y dando las vueltas entonces al contenido de los moldes de gelatina, sobre una fuente y sobre unos discos de patata untados con salsa mahonesa.

Adornaremos la fuente con el resto de la gelatina introducida en manga con boquilla rizada.

195. Gambas a la plancha

Ingredientes para 1 persona:
6 gambas frescas (400 gramos)

Lavaremos las gambas en agua fría dejándolas sobre un paño y echándoles sal por ambos lados.

2 cucharadas soperas de aceite fino
2 dientes de ajo picados
perejil picado
sal.

Prepararemos el aceite en una aceitera y mojaremos las parrillas con un poco del mismo, poniendo las parrillas al fuego para que se calienten. Asaremos las gambas cuando estén calientes las parrillas, rociándolas con el aceite restante. Una vez hechas, y puestas en un plato o fuente las salpicaremos con el ajo y el perejil picados.

En vez de aceite puede emplearse sólo zumo de limón mezclado con un poco de vinagre. Quedan fuertes de sabor pero están también muy buenas.

196. Gamba «amb bledes»

Ingredientes para 4 personas:
1 kilo de gambas de río
1 kilo de «bledes» o acelgas
4 dientes de ajo
2 vasos de aceite
1 cucharada sopera de pimentón rojo dulce
agua
sal.

Prepararemos las gambas lavándolas bien. Arreglaremos las acelgas y las picaremos.

Echaremos el aceite a una cazuela al fuego y en ella freiremos los dientes de ajo pelados y picados rehogando seguidamente las gambas y las acelgas e incorporando como dos vasos de agua y el «pebreroig» (pimentón), así como un poco de sal dejándolo hervir unos 25/30 minutos.

Si agrada podemos añadir un poco de picante, por ejemplo utilizar pimentón dulce y picante mezclados.

197. Langosta fría

Ingredientes para 4 personas:
1 langosta de 2 kilos de peso
5 zanahorias
1 cebolla
3 huevos
200 gramos de patatas
100 gramos de nabos
100 gramos de judías verdes
200 gramos de guisantes
3 tazas de desayuno de salsa mahonesa
agua, sal, 1 lechuga.

Pondremos una olla en el fuego con cinco litros de agua sazonada con sal, echaremos la cebolla y una zanahoria agregando, cuando hierva a borbotones, la langosta, cociéndola por espacio de 25 minutos, retirándola cuando hayan transcurrido éstos y pasándola por agua fría, escurriéndola bien la estiraremos y prensaremos mediante la colocación de unos 4 kilos de peso sobre ella por espacio de una hora, para facilitar luego la operación de cortarla.

Coceremos los huevos por espacio de 15 minutos para que queden duros pasándolos luego por agua fría y pelándolos.

Pelaremos y cortaremos en cuadritos cuatro zanahorias, los 200 gramos de patatas y los nabos, cociendo todo en agua con sal.

Cortaremos en trocitos las judías verdes, hirviéndolas en unión de los guisantes, en agua sazonada con sal, pasándolas luego por agua fría y escurriéndolas.

Pondremos todas las verduras anteriores en un paño al objeto de extraer bien al agua y las mezclaremos seguidamente con parte de la salsa mahonesa poniéndola seguidamente en una fuente formando una sola capa.

Quitaremos la cola a la langosta, extrayendo de la misma la carne y colocando el caparazón en el centro de la fuente, con el vientre (por donde se sacó la carne) sobre la verdura. Añadiremos luego a cada uno de sus lados la carne de la langosta divida en rodajitas de un centímetro y medio de grueso, aproximadamente.

Por último adornaremos la langosta con los huevos duros y las hojas de lechuga sirviendo, el resto de la salsa mahonesa, en salsera aparte.

198. Langosta hervida

Ingredientes para 4 personas:
1 langosta, a poder ser viva, de
2 kilos de peso
1 vaso de vino blanco seco
salsa vinagreta u otra salsa fría
al gusto
agua
sal.

Pondremos abundante agua en un utensilio, con mucha sal, al fuego, y coceremos en ella, a fuego vivo, la langosta, añadiendo también el vino. Hervirá de 15 a 20 minutos. Retirada del agua del hervido la dejaremos enfriar sobre una tabla, con un peso ligero encima para que no se encoja y la frotaremos con un trapo para sacarle brillo al caparazón sirviéndola con la salsa en salsera aparte.

199. Cigalas a la vinagreta levantina

Ingredientes para 4 personas:
8 cigalas
1 vaso de aceite

Coceremos las cigalas en agua y sal, las dejaremos enfriar, y una vez frías retiraremos las colas de la cáscara cortando lo sacado en pedacitos pequeños.

1 vaso de vinagre
pimienta blanca en polvo
azafrán en hebra
pimienta de Cayena
1 copita de coñac
agua
1 cebolla
2 huevos duros
sal.

Confeccionaremos una salsa vinagreta con sal, pimienta, el aceite y el vinagre, agregándola un picadillo con los huevos duros y la cebolla sazonándolo con una pizca de pimienta de Cayena y otra de azafrán machacado. Mezclaremos los pedacitos de cigala con la salsa vinagreta, adicionándole además la copita de coñac, y dejándolo adobar durante una hora. También nos cabe prepararlo la víspera en que queramos servirlo.

200. Cigalas cocidas

Ingredientes para 4 personas:
8 cigalas frescas o congeladas
agua
sal.

Lavaremos las cigalas en agua fría y las secaremos con un paño. Pondremos agua abundante en un recipiente al fuego con mucha sal, debe tener un punto alto de sal para que ésta traspase el caparazón duro de las cigalas.

Cuando rompa a hervir echaremos el marisco y observaremos el momento en que inicia de nuevo el hervor, contando desde ese momento 8/10 minutos de cocción ininterrumpida. Lo separaremos del fuego dejándolas tapadas y que reposen tres minutos. Escurridas las pasaremos por agua fría, escurriéndolas de nuevo y poniéndolas en una fuente en el frigorífico para que estén frías.

Podemos acompañarlas de una salsa fría, aunque hay quien las come así, frías y solas, pues son muy ricas.

201. Percebes fríos

Ingredientes para 4 personas:
1 kilo de percebes
agua
sal.

Escogeremos los percebes gruesos y cortos, pues éstos son los más sabrosos. Para cocerlos los echaremos en abuntante agua hirviendo con bastante sal dejándolos cocer cinco o seis minutos, desde que rompa a hervir. Una vez escurridos se sirven calientes, aunque hay personas que los prefieren fríos.

202. Bacalao a la valenciana (1.ª forma)

Ingredientes para 4 personas:
8 trozos de bacalao seco
250 gramos de arroz hervido en caldo de pescado
1 taza de desayuno, de puré de tomate
2 cebollas
25 gramos de queso rallado
50 gramos de mantequilla
2 pimientos rojos
un poco de harina
1 vasito de aceite.

Colocaremos en una cacerola el arroz hervido, el bacalao desalado, las cebollas fritas (pasadas antes por la harina) y el puré de tomate.

Cubriremos todo ello con otra capa de arroz y, sobre ésta, podremos la mantequilla y el queso rallado, metiéndolo al horno hasta que esté en su punto y añadiendo, antes de servirlo, unas tiras de pimiento rojo de lata.

Este plato no precisa sal.

203. Bacalao a la valenciana (2.ª forma)

Ingredientes para 4 personas:
500 gramos de bacalao previamente remojado
3 cebollas
3 cucharadas soperas de harina
400 gramos de arroz cocido en blanco
1/2 litro, acaso menos, de salsa de tomate
2 cucharadas soperas de mantequilla
2 cucharadas soperas de pan rallado
1 huevo duro.

En una fuente de horno pondremos el arroz cocido en el caldo de espumar el bacalao, después el bacalao cortado a pedazos, las cebollas fritas y rebozadas en harina y la salsa de tomate.

Todo ello lo cubriremos con otra capa de arroz, en la cual desleiremos la mantequilla y el pan rallado.

Lo meteremos en el horno hasta que esté un poco dorado, poniendo antes de servirlo a la mesa unas rodajas de huevo duro.

NOTA: Receta muy similar a la anterior con ligeras variantes.

204. Bacalao a la mediterránea

Ingredientes para 3 personas:
400 gramos de bacalao seco
1 cebolla

Desalaremos y limpiaremos el bacalao deshaciéndolo en pequeños trozos que dejaremos en agua dándoles un ligero hervor de cinco minutos. Independientemente, rehogaremos en aceite la cebolla bien picada, a la que agregaremos la harina, añadiendo, asimismo el vino blanco cocido aparte y otro tanto del agua en que hirvió el bacalao, así como perejil muy picado, el diente de ajo picado, el zumo del limón y sal.

En este punto incorporaremos el bacalao, dejándolo hervir unos 15 ó 20 minutos.

205. Bacalao con arroz

Ingredientes para 4 personas:
500 gramos de bacalao remo-
jado y sin piel ni espinas
200 gramos de arroz cocido en
blanco
2 cebollas picadas
3 pimientos encarnados picados
4 tomates picados
1 cucharada sopera de pimentón
rojo dulce, 2 dientes de ajo
perejil fresco, 1 vaso de agua
un poco de comino
pimienta negra en polvo
aceite, sal.

Freiremos en aceite las cebollas, los pimientos encarnados y los tomates. Cuando estén fritos echaremos el bacalao y le daremos una vuelta, poniéndole el pimentón en polvo y rehogando bien, añadiremos el agua y un majado de ajo, perejil, pimienta negra y comino, sazonando con sal y, cuando el bacalao haya dado un hervor, le echaremos el arroz hervido y lo serviremos a la mesa.

206. Bacalao con arroz blanco

Ingredientes para 4 personas:
1/2 kilo de bacalao seco
2 tazas de desayuno de arroz
1 lata de tomate frito
1/4 litro de aceite
50 gramos de harina
perejil fresco
sal.

El bacalao ya remojado y cortado a trozos lo pasaremos por harina y lo freiremos en abundante aceite.

Coceremos el arroz en agua con sal 20 minutos, lo escurriremos y pasaremos por agua fría.

Pondremos el bacalao en una fuente en el centro, alrededor el arroz, cubriendo con la salsa de tomate y adornando el plato con abundante perejil fresco picado.

207.   Fritos de bacalao

Ingredientes para 4 personas:
1/4 kilo de bacalao
2 huevos
1/4 litro de leche
1 cebolla
1/4 litro, o más, de aceite
3 cucharadas soperas de harina.

Pondremos a remojo, la víspera, el bacalo; al día siguiente le cambiaremos el agua y lo pondremos al fuego durante una hora, o lo que sea preciso, para que empiece a formarse un poco de espuma sin que llegue a hervir. Retirado le quitaremos las espinas y la piel deshaciéndolo o picándolo. En una sartén honda echaremos un poco de aceite y rehogaremos la cebolla pelada y picada, antes de que se dore, añadiremos el bacalao y las cucharadas de harina, después de rehogarlas, echaremos la leche y lo haremos hervir, revolviendo mucho hasta que tenga la misma consistencia de la masa de las croquetas. Retirado del fuego le añadiremos los huevos, uno a uno, revolviendo mucho, como para bueñuelos. Extenderemos la masa obtenida en una fuente plana y la dejaremos enfriar antes de freírla, lo que se hará echando porciones de masa con una cucharilla a una sartén honda con aceite muy caliente.

Los serviremos rápidamente a la mesa.

208.   Borreta de bacalao

Ingredientes para 4 personas:
250 gramos de bacalao seco
1 kilo de espinacas con mezcla
de un poco de acelgas (lo verde)
800 gramos de patatas
4 huevos
3 ñoras [1]
1 vasito de aceite
pimienta blanca en polvo
1 cucharada sopera de pimentón
rojo dulce
agua
1 diente de ajo
sal.

Pelaremos las patatas y prepararemos la verdura picándola bien. Prepararemos un puchero, sobre el fuego, con agua y echaremos todo: patatas, verdura y bacalao así como las ñoras cortadas por la mitad, los dientes de ajo troceados, un poco de pimienta, el aceite, el pimentón y sal. Hervirá todo junto hasta que el caldo quede espeso. Cuando todo esté cocido dejaremos caer los huevos, uno a uno escalfándolos en el guiso y sirviendo éste a continuación a la mesa.

---

[1]   Pimientos secos.

209. Pericana hervida

Ingredientes para 4 personas:
1/2 kilo de bacalao seco
6 pimientos frescos
1 cabeza de ajo
agua
1 vaso de aceite
sal.

Asaremos a la parrilla o a la brasa el bacalao, los ajos y los pimientos poniendo todo en una cazuela de barro después de haberlos desmenuzado con los dedos (nada de cuchillo). Les echaremos agua (la justa que los cubra) y colocaremos la cazuela a fuego lento. Cuando el agua esté muy mermada la retiraremos y añadiremos otra agua limpia y fría y sal dejándolo ahora hervir unos 10 minutos.

Pasado el tiempo citado se escurre y deja en una fuente aliñándolo con el aceite crudo.

NOTA: Este plato admite también guindilla, cebolla cruda y picada y huevos duros.

210. Pericana escaldada

Ingredientes para 4 personas:
1/4 kilo de bacalao seco
1/4 de kilo de melva
8 ñoras [1]
2 pimientos picantes
1 taza de desayuno, de aceite
4 pimientos frescos
agua
sal.

Las ñoras, los pimientos picantes y los frescos los asaremos al fuego, así como los ajos. El bacalao lo asaremos a la brasa.

Todos estos ingredientes los desharemos en una fuente, añadiéndoles agua hirviendo hasta casi cubrirlos y el aceite.

Si vemos que lo necesita le echaremos sal.

Comida típica de los cazadores en los fríos días de invierno (el picante se pone para entrar en calor).

---

[1] Pimientos secos.

Capítulo VII

HUEVOS

HUEVOS

211. Huevos escalfados
212. Huevos con pimientos rojos
213. Huevos con riñores
214. Huevos con tocino
215. Huevos fritos al buñuelo
216. «Ou fregit amb sardines y nyoretes ronyosetes»
217. Huevos a la valenciana
218. Huevos sobre pan
219. Huevos nevados
220. Huevos a la alicantina
221. Huevos al horno
222. Huevos a la crema
223. Huevos rellenos con gambas
224. «Caldo del cielo»
225. «Caldo colorado»
226. Tortilla de espinacas
227. Tortilla de setas y ajos frescos
228. Tortilla de pescado
229. Tortilla de angulas
230. Tortilla de mariscos
231. Tortilla de atún escabechado
232. Tortilla de gambas
233. Tortilla al estilo de Elda
234. Tortilla con judías verdes y jamón
235. «Truita amb faves»
236. Revuelto de huevos con langostinos

211. Huevos escalfados

Ingredientes para 4 personas:

8 huevos
agua
250 gramos de merluza
1/2 cebolla
16 mejillones
100 gramos de mantequilla
2 cucharadas soperas de harina
2 cucharadas soperas de puré de tomate
1 yema de huevo
1 pimiento rojo de lata
sal.

Cascaremos los huevos, uno a uno, en una espumadera y los herviremos con agua y sal, o sea que los escalfaremos.

Pondremos en una cacerola al fuego la merluza, los mejillones bien limpios, la cebolla y un poco de agua, dejándolo cocer todo durante unos ocho/diez minutos.

Derretiremos 50 gramos de mantequilla y freiremos en ella la harina, la cual desleiremos con un poco del caldo del pescado, pasando la salsa por un colador y añadiendo el puré de tomate, los dejaremos cocer durante 10 minutos, removiéndolo de vez en cuando con un batidor, y consiguiendo así una salsa fina a la que agregará, fuera del fuego, el resto de la mantequilla y la yema de huevo.

Dispondremos los huevos en una fuente rodeándolos de trozos de merluza, cubriremos con la salsa y, como adorno, pondremos los mejillones, uno encima de cada huevo, y los demás alrededor de la fuente, y dentro de cada mejillón una tira de pimiento rojo de lata.

212. Huevos con pimientos rojos

Ingredientes para 4 personas:

8 huevos
4 pimientos morrones
1/4 litro de aceite
2 dientes de ajo
sal.

Asaremos los pimientos, los pelaremos y haremos tiras después de quitarles las pepitas. En una cazuela grande de barro al fuego, echaremos un poco de aceite y los dientes de ajo picados, añadiendo los pimientos a tiras y un poco de sal. Moveremos la cazuela para que no se pegue. Los haremos unos cinco minutos a fuego lento. Freiremos los huevos en la sartén y los echaremos a la cazuela a medida que van saliendo de la sartén, añadiendo un poco de sal.

213. Huevos con riñones

Ingredientes para 4 personas:

4 huevos

En cazuelitas individuales con mantequilla cascaremos los huevos, repartiremos los riñones y echaremos sal y perejil

400 gramos de riñones de cordero
80 gramos de mantequilla
perejil fresco
sal.

picado, metiéndolas al horno el tiempo justo (unos cinco o siete minutos). Los riñones deben ser muy tiernos, si quiere tener éxito en la preparación de este plato.

NOTA: En vez de riñones podemos poner higadillo de pollo muy picado.

214.   Huevos con tocino

Ingredientes para 4 personas:
8 huevos
200 gramos de tocino cortado
fino a tiras largas
1/4 litro de aceite
sal.

Freiremos las tiras de tocino, en una sartén al fuego, con algo de aceite y las dejaremos en una fuente. En otra sartén, pequeña, con bastante aceite caliente, freiremos los huevos uno a uno, dejándolos con la clara rizada, tostada y la yema blanca.

Les echaremos sal fuera ya del fuego y los serviremos juntos el tocino y los huevos.

215.   Huevos fritos al buñuelo

Ingredientes para 4 personas:
8 huevos
100 gramos de manteca de cerdo.

En una sartén honda al fuego, echaremos la manteca cuando esté caliente inclinaremos la sartén para que afluya la grasa a un lado, y así, de costado, echaremos el huevo cascado, lo más posible, cuidando mucho de no reventar la yema y envolviéndolo en su clara con la ayuda de la espumadera.

Los retiraremos así fritos envueltos en su clara y alargados.

Tienen un aspecto muy parecido a los buñuelos.

216.   «On fregit amb sardines y nyorotes ronyosetes»

Ingredientes para 4 personas:
4 huevos

Quitaremos a las ñoras el tallo y las simientes, friéndolas con bastante aceite.

4 sardinas de bota
1/4 kilo de ñoras [1]

Las retiraremos a un plato y freiremos las sardinas, dejándolas junto a las ñoras.

Por último, freiremos los huevos, colocándolos en el centro del mismo plato de sardinas y ñoras.

---

[1] Pimientos secos.

217. Huevos a la valenciana

Ingredientes para 4 personas:
4 huevos
400 gramos de arroz
1 litro de agua
25 gramos de queso rallado
1 lata de 250 gramos de setas
100 gramos de salsa de tomate preparada
100 gramos de mantequilla
2 cucharadas soperas de aceite
1 diente de ajo picado
perejil fresco picado, sal.

Hervir el arroz en el agua con sal; una vez hecho, lo retiraremos y escurriremos pasándolo por agua fría. Picaremos las setas y las freiremos en el aceite, junto con el ajo y un poco de perejil. Uniremos arroz y setas, echaremos el queso rallado y la salsa de tomate y con todo ello llenaremos cuatro moldes o flaneras individuales.

Freiremos los huevos, uno a uno, en la mantequilla y los serviremos con los moldes de arroz.

218. Huevos sobre pan

Ingredientes para 4 personas:
4 huevos
4 rodajas de pan del día anterior
400 gramos de tomates o bien su equivalente en tomate natural
1 cebolla
1 taza de desayuno de caldo de carne
1/4 litro, acaso menos, de aceite
una pizca de azúcar
pimienta blanca en polvo
sal.

Pelaremos y picaremos la cebolla friéndola en aceite, así que tome color le añadiremos el tomate, sal, pimienta y el azúcar. Haremos una buena salsa a la que añadiremos el caldo de vez en vez.

Freiremos las rodajas de pan en aceite caliente y, escurridas, las dispondremos en una bandeja o fuente. Cascaremos los huevos, uno a uno, en la salsa anterior echándoles sal y pimienta y dejándoles cuajar.

219.   Huevos nevados

Ingredientes para 4 personas:
8 huevos
1/2 litro de leche
2 cucharadas soperas de mante-
quilla
50 gramos de harina
agua
puré de tomate.

Coceremos los huevos durante 10 minutos, los pasaremos por agua fría, pelándolos después y cortándoles por la mitad, retiraremos las yemas que guardaremos y los rellenaremos con parte de salsa bechamel hecha con leche, harina, sal y mantequilla, a ésta le añadiremos una cucharada de puré de tomate.

Los colocaremos en una fuente refractaria de horno, cubriéndolos con el resto de la salsa bechamel y los meteremos en el horno durante 10 minutos. Transcurridos los cuales espolvorearemos su superficie con las yemas de los huevos, previamente pasadas por un tamiz.

220.   Huevos alicantina

Ingredientes para 4 personas:
8 huevos
4 patatas
6 langostinos
50 gramos de mantequilla
1 trufa
50 gramos de harina
1 cebolla
1 cucharada sopera de salsa de
tomate
2 vasos de aceite
pimienta blanca en polvo
1/2 vaso de vino blanco
2 huevos para el rebozado
agua
sal.

Elegiremos las patatas de igual tamaño y a poder ser que tengan forma alargada, las pelaremos y partiremos por la mitad vaciándolas con la cuchilla especial hasta darles forma de barca y las pondremos en agua fría, con sal, en un puchero que colocaremos al fuego dejándolas cocer hasta que estén tiernas y puedan atravesarse con las puas del tenedor. Las retiraremos y las escurriremos sobre un paño, reservándolas.

Herviremos los langostinos en un caldo formado por un cuarto de litro de agua, sal, el medio vaso de vino blanco, y la cebolla, cortada a tiras finas. Cuando estén cocidos los descascarillaremos y cortaremos las colas a trozos. El caldo lo reservaremos.

Con un poco de la harina, a la que adicionaremos, poco a poco, parte del caldo de los langostinos, y con la cucharada de salsa de tomate haremos una salsa que dejaremos cocer muy lentamente por espacio de 20 minutos. Sazonaremos con sal y pimienta blanca. Herviremos los 8 huevos de forma que queden semiblandos, o sea, la clara dura y la yema blanda.

Los pelaremos y pasaremos las barcas por huevos batidos y harina friéndolas en aceite hasta que queden bien doraditas. En el fondo de ellas pondremos los trozos de langostinos y un poco de la salsa, colocando el huevo encima lo cubriremos todo con el resto de la salsa y lo espolvorearemos con trufa picada.

221. Huevos al horno

Ingredientes para 4 personas:

4 huevos
100 gramos de mantequilla
1/2 litro de leche
1/2 cebolla picada
2 cucharadas soperas de harina
pimienta blanca en polvo
100 gramos de queso rallado
sal.

Fundiremos en una cacerola al fuego, 30 gramos de mantequilla y doraremos en ella la cebolla picadita, añadiéndole después la harina y la leche hirviendo, sazonaremos con pimienta y sal y lo haremos hervir un cuarto de hora a fuego lento. Verteremos una parte de esta salsa en un plato de gratinar y sobre ella romperemos los huevos de forma que queden redondos y separados unos de otros. Espolvorearemos con la mitad del queso rallado y cubriremos con el resto de la salsa y, por encima, echaremos lo que nos quede del queso rallado, esparciendo sobre ellos unas bolitas de mantequilla. Los haremos a horno fuerte durante cinco minutos, sirviéndolos calientes a la mesa.

222. Huevos a la crema

Ingredientes para 4 personas:

8 huevos
400 gramos de nata
50 gramos de queso rallado
pimienta blanca en polvo
sal.

En una fuente refractaria pondremos la nata y sobre ella cascaremos uno a uno los huevos. Espolvorearemos con abundante queso rallado, echaremos sal y pimienta y los meteremos al horno el tiempo suficiente para que cuajen los huevos que deben quedar blandos, no duros.

223. Huevos rellenos con gambas

Ingredientes para 4 personas:

12 huevos

Coceremos los huevos, una vez fríos los partiremos por la mitad retirando las yemas a un recipiente aparte.

1/4 kilo de gambas
100 gramos de jamón
50 gramos de aceitunas des-
huesadas
1 pimiento rojo de lata
salsa mahonesa
pimienta blanca en polvo
agua.

Las gambas, una vez cocidas y muy picaditas, al igual que el jamón, lo mezclaremos con las yemas. Todo esto se aplasta con un tenedor hasta hacer un puré, sazonándolo con sal y un poquito de pimienta en polvo.

Con esta pasta rellenaremos los huevos, colocándolos en una fuente, y cubriéndolos con la mahonesa, los adornaremos por encima con unas tiras de pimiento rojo y rodajas de aceitunas.

224. «Caldo del cielo»

Ingredientes para 4 personas:
4 huevos
400 gramos de patatas
150 gramos de bacalao seco
2 tomates secos
1 cebolla
1 ñora [1]
1 cucharada sopera de pimentón
rojo dulce
3 cucharadas soperas de aceite
2 vasos de agua
sal.

En una cazuela al fuego, pondremos el agua y herviremos la cebolla pelada y cortada a trozos, echaremos también el aceite. Cuando haya hervido unos 12/15 minutos incorporaremos las patatas peladas y cortadas a trozos y el bacalao (tal como está, o sea, salado) así como, los tomates secos y la ñora cortada por su mitad. Añadiremos el pimentón y sal.

Cuando esté cocido cascaremos los huevos, uno a uno, dejando que se cuajen con el guiso y sirviéndolos a la mesa en cuanto veamos la clara hecha y la yema blanda. Se les echará la sal fuera del calor del fuego y se presentarán a la mesa en la misma cazuela que aconsejamos sea de «fang» (barro).

---

[1] Pimiento seco.

225. «Caldo colorado»

Ingredientes para 4 personas:
4 huevos
125 gramos de bacalao seco
800 gramos de patatas
1 ñora [1]*, 1 tomate seco*
5 dientes de ajo
1 vaso de aceite
3 vasos de agua, perejil fresco
1 papeleta de azafrán en hebra
un poco de comino, sal.

En una cazuela de «fang» (barro), al fuego, echaremos el agua y en ella iremos poniendo el bacalao seco y desmenuzado, las patatas peladas y cortadas a trozos, la ñora, el tomate seco, tres de los cinco dientes de ajo, el aceite, sal, perejil fresco picado y el azafrán. Lo dejaremos cocer poco a poco y cuando veamos que está ya cocido cascaremos los huevos, uno a uno, dejándolos que se cuajen.

Receta muy parecida a la anterior: «Caldo del cielo».

---

[1] Pimiento seco.

226. Tortilla de espinacas

Ingredientes para 4 personas:
1 kilo de espinacas
5 huevos
3 cucharadas soperas de aceite
agua
sal.

Lavaremos y picaremos bien las espinacas cambiando su agua al objeto de que no tengan tierra. Las coceremos en abundante agua con sal. Una vez hechas las escurriremos estrujándolas, si es preciso, con las manos para que suelten el agua.

Batiremos bien los huevos y les incorporaremos las espinacas. Echaremos el aceite en una sartén al fuego, y en ella cuajaremos una tortilla redonda y plana dorándola por ambos lados.

Pueden añadirse piñones picados.

227. Tortilla de setas y ajos frescos

Ingredientes para 4 personas:
8 huevos
800 gramos de setas
8 ajos frescos
6 cucharadas soperas de aceite
sal.

Lavaremos bien las setas y las cortaremos el tronquito, secándolas con un paño y cortándolas en trocitos.

En una sartén al fuego con bastante aceite, pondremos los ajos y, antes de que se doren, les añadiremos las setas. Saltear bien y tapar para que suden y suelten toda el agua.

Los destaparemos cuando se haya consumido toda el agua. Batiremos los huevos aparte, sazonándolos con sal, echaremos aceite en una sartén al fuego y los uniremos ajos y setas con los huevos batidos formando una tortilla alargada que debe quedar jugosa.

228. Tortilla de pescado

Ingredientes para 4 personas:
6 huevos
800 gramos de merluza o pes-cadilla
2 cebollas

Lavaremos el pescado y lo herviremos, en una olla al fuego con agua y sal. Una vez cocido le quitaremos espinas y piel y lo desmenuzaremos.

En una sartén al fuego, con parte del aceite freiremos las cebollas y los tomates, ambos pelados y muy picados, les

2 tomates
1 taza de desayuno, de salsa
mayonesa
6 cucharadas soperas de aceite
agua
perejil fresco picado
sal.

echaremos sal y el pescado dejándolos 10 minutos sobre el fuego.

Batiremos bien los huevos y cuajaremos una tortilla, con poco aceite, a la que añadiremos el frito tomate-pescado. Esta tortilla dorada por ambos lados la dejaremos enfriar y la cubriremos entonces con la salsa mahonesa y sobre ésta el perejil picado.

229. Tortilla de angulas

Ingredientes para 1 persona:
2 huevos
120 gramos de angulas
1 cucharada de aceite
1 diente de ajo picado
sal fina.

Echaremos el aceite en una sartén puesta al fuego, juntamente con los años picados y le incorporaremos las angulas y sal. Les daremos una vuelta y, por encima de esta confección, agregaremos los huevos muy batidos formando una deliciosa tortilla que serviremos a la mesa recién hecha.

230. Tortilla de mariscos

Ingredientes para 4 personas:
6 huevos
500 gramos de marisco variado
(gambas, cangrejos, cigalas,
langosta)
1 vasito de vino blanco
1 hoja de laurel
1 cucharada sopera de mantequilla (no utilizar margarina)
2 cucharadas soperas de aceite
agua, sal.

Coceremos el marisco elegido en agua, con sal, a la que echaremos el laurel y el vino blanco.

Una vez cocido lo pelaremos y picaremos su carne. Batiremos los huevos junto con la mantequilla blanda y sal y uniremos huevos con marisco. Calentaremos el aceite en una sartén al fuego cuajando en ella una tortilla alargada.

231. Tortilla de atún escabechado

Ingredientes para 4 personas:
8 huevos
150 gramos de atún escabechado

Cortaremos el atún en trocitos o bien lo picaremos finamente. Batiremos los huevos durante un minuto, les echaremos sal, pero recordando que el atún ya suele ser salado.

Echaremos el aceite en una sartén al fuego y en ella cuajaremos una tortilla redonda y plana, dorándola por ambos lados.

232. Tortilla de gambas

Ingredientes para 4 personas:
8 huevos
10 gambas gordas
4 cucharadas soperas de aceite
sal fina.

Lavaremos bien las gambas y les echaremos sal, friéndolas en la mitad del aceite. Retiradas de su fritura (y tibias) pelaremos sus colas picándolas finamente.

Batiremos los huevos, echaremos en ellos las gambas. Calentaremos el resto del aceite y echaremos el batido. La tortilla puede hacerse redonda o alargada según agrade más.

La serviremos a la mesa recién hecha.

233. Tortilla al estilo de Elda

Ingredientes para 4 personas:
6 huevos
1/4 kilo de calabacines
1/4 kilo de berenjenas
1/4 kilo de zanahorias
1/4 kilo de patatas
1 cebolla
1 diente de ajo
perejil fresco picado
1 cucharilla de café de pimentón
rojo dulce
1 vasito de vino blanco
1 cucharada sopera de harina
pimienta blanca en polvo
1/4 litro, acaso menos, de aceite
1 hoja de laurel
agua
sal.

Pelaremos y picaremos las patatas, las berenjenas, el calabacín y las zanahorias como se hace para la tortilla de patatas, echándoles sal y friéndolas en parte del aceite.

Batiremos los huevos con un poco de sal, echaremos el frito anterior a los huevos y, en un poco de aceite caliente, cuajaremos una tortilla redonda y plana bien hecha por ambos lados.

La dejaremos en una cazuela después de haberla partido en trozos regulares.

Picaremos el ajo y la cebolla junto con perejil, rehogándolos en dos cucharadas de aceite y adicionaremos la harina, el pimentón, el vino, un vaso de agua y la pimienta y les daremos un hervor. Pasaremos esta salsa por un tamiz sobre la tortilla, agregando el laurel y cociendo el conjunto durante 20 minutos.

234. Tortilla con judías verdes y jamón

Ingredientes para 4 personas:

8 huevos
300 gramos de judías verdes
125 gramos de jamón curado
100 gramos de mantequilla
1 taza de desayuno de salsa de
tomate espesa
1 cucharada sopera de perejil
fresco picado
12 triángulos de pan frito
agua
sal.

Limpiaremos las judías verdes y las coceremos en agua y sal. Escurridas las cortaremos a trocitos pequeños. Cortaremos también el jamón y freiremos o rehogaremos ambas cosas en un poco de mantequilla.

Batiremos los huevos y les añadiremos las judías verdes y el jamón. En una sartén al fuego, con el resto de la mantequilla, cuajaremos la tortilla echando un poco de sal y formando una tortilla alargada que debe quedar jugosa.

Colocada la tortilla en una fuente espolvorearemos con el perejil picado y pondremos los panes fritos alrededor vertiendo la salsa de tomate, caliente, sobre ellos.

235. «Truita amb faves»

Ingredientes para 4 personas:

4 huevos
250 gramos de habas tiernas
1 cebolleta tierna
1 vaso de aceite
sal.

Limpiaremos las habas, que serán muy pequeñas y muy tiernas, las rehogaremos en parte del aceite junto con la cebolleta muy picada. Echaremos sal. Batiremos los huevos y, en un poco de aceite, puesto al fuego en una sartén plana, cuajaremos una tortilla plana y redonda.

236. Revuelto de huevos con langostinos

Ingredientes para 4 personas:

6 huevos
100 gramos de mantequilla
4 triángulos de pan frito
nuez moscada
300 gramos de langostinos
pimienta blanca en polvo
perejil fresco picado
sal.

Pondremos en una cacerola los huevos, la leche y 75 gramos de mantequilla, sazonando con pimienta, sal y nuez moscada rallada el conjunto que batiremos concienzudamente. Lo coceremos seguidamente al baño María, removiéndolo al mismo tiempo con un batidor y adicionándole cuando se haya cuajado ligeramente, los langostinos, previamente pelados, cortados en trocitos y rehogados en 25 gramos de mantequilla. Espolvorearemos con perejil picado y serviremos el revuelto adornado con los triángulos de pan frito.

Capítulo VIII

MENUDOS O DESPOJOS

MENUDOS O DESPOJOS

237. Sesos fritos

Ingredientes para 4 personas:
2 sesadas de cordero o 1 sesada
de ternera
agua
1/2 cebolla
perejil fresco
50 gramos de harina
3 huevos
1/4 litro, acaso menos, de aceite
1 limón, sal.

Limpiaremos los sesos teniéndolos un buen rato en agua fría para quitarles la sangre y la telilla que tienen. Los coceremos en agua hirviendo con sal, cebolla y perejil durante 10 ó 15 minutos, según el tamaño de los sesos. Retirados del caldo los cortaremos a rodajitas dejándolos a escurrir en un paño. Los rebozaremos en harina y huevos batidos y los freiremos a fuego vivo en abudante aceite caliente. Los serviremos recién hechos con rodajas de limón.

238. Criadillas fritas

Ingredientes para 4 personas:
2 criadillas
100 gramos de pan rallado
3 huevos
2 vasos de aceite
perejil fresco
sal.

Quitaremos la telilla que cubre las criadillas cortándolas en rodajitas a las que daremos sal por ambos lados.

Batiremos los huevos y calentaremos el aceite. Pasaremos las rodajitas de criadillas por los huevos batidos y despues por el pan rallado friéndolas en el aceite. Se sirven adornadas con perejil fresco picado.

239. Lengua estofada

Ingredientes para 4 personas:
1 lengua de ternera
50 gramos de tocino cortado a
tiras
50 gramos de jamón cortado a
tiras
1 cabeza de ajo
6 almendras tostadas
2 zanahorias
perejil fresco, 2 tomates
2 vasos de agua, 1 cebolla
1 vasito de vino tinto
4 triángulos de pan frito.

Limpiaremos la lengua, le daremos sal y la mecharemos con las tiras de tocino y el jamón. En una cazuela, al fuego, con el agua, coceremos la lengua echándole la cebolla pelada y cortada, la cabeza de ajos, la zanahoria a rodajas, los tomates cortados por su mitad y el vino, tapando herméticamente la cazuela y que cueza hasta ver tierna la lengua, por lo general de dos a tres horas.

Ya tierna la pelaremos y cortaremos en rodajas. Majaremos las almendras en un mortero, junto con los ajos que pusimos a la lengua, y los uniremos a todo lo que estofamos con la lengua pasándolo por un pasador sobre las rodajas de lengua y poniendo alrededor el pan frito.

240.   Callos a la casera

Ingredientes para 4 personas:
1/2 kilo de callos
1 limón
agua
1 pata de ternera
100 gramos de tocino
150 gramos de codillo fresco de cerdo
3 zanahorias
1 cebolla gorda
2 puerros
1 vaso de vino blanco
2 vasos de caldo
2 granos de pimienta
1 limón
sal gorda.

Limpiaremos los callos, raspándolos con un cuchillo y después con sal gorda y limón. Los coceremos durante 20 minutos en agua y sal. Escurridos los cortaremos en pedacitos cuadrados, poniéndolos en una cacerola con la pata de ternera deshuesada y partida en pedazos, el tocino y el codillo de cerdo. Cortaremos en trozos la cebolla y las zanahorias, los puerros y perejil que también echaremos, así como el vino blanco y el caldo, sal y un par de granos de pimienta, tapando la cacerola y dejándola hervir muy lentamente durante 2 ó 3 horas. Le iremos añadiendo algo de agua, si lo necesita. Serviremos los callos en una fuente cuando estén tiernos acompañados de todos los ingredientes.

241.   Callos de ternera «San Carlos»

Ingredientes para 4 personas:
500 gramos de callos de ternera
3 vasos de aceite
2 cucharadas soperas de miga de pan rallado
3 cucharadas soperas de vino blanco
250 gramos de tomates
50 gramos de harina
2 huevos
2 dientes de ajo
1 cebolla
1 limón
500 gramos de patatas
pimienta blanca en polvo.

Los callos se eligen de buena clase, procurando que sean gruesos. Una vez cortados a trozos, de cinco a seis centímetros de largo e igual de ancho, lo rociaremos con zumo de limón, sazonándolos con sal y pasándoles por harina y huevos batidos mezclados con dos cucharadas de agua y, seguidamente, los freiremos en el aceite. Fritos y escurridos los pondremos en una fuente de horno formando una hilera y, en el centro y alrededor, irán las patatas previamente peladas y cortadas a ruedas de un centímetro de grueso.

En el mismo aceite freiremos la cebolla pelada y picada y, cuando haya tomado color dorado, le agregaremos los ajos trinchados, el vino blanco y los tomates, cortados a trozos, sazonando con sal y pimienta y haciéndolo lentamente, tapado, durante 10/12 minutos. A continuación pasaremos el contenido por un colador, echándolo a la fuente y espolvoreando con el pan rallado. Lo coceremos a horno suave por espacio de 40/50 minutos.

Serviremos los callos en la misma fuente de cocción.

242. Mollejas al horno

Ingredientes para 4 personas:

500 gramos de mollejas de ter-
nera o cordero
2 dientes de ajo
100 gramos de pan rallado
perejil fresco
2 cucharadas soperas de man-
tequilla
1 cucharada sopera de manteca
de cerdo
sal.

Lavaremos bien las mollejas poniéndolas en agua fría para que blanqueen y pasándolas después a otra agua caliente, con la que se ponen al fuego, retirándola en el momento que empiece a hervir. Les quitaremos la piel y las rebozaremos en una mezcla de pan rallado, los ajos y perejil muy picados, con un poco de mantequilla, apretándolo para que se impregne y disponiéndolas en fuente de horno untada de manteca, metiéndolas acto seguido en el horno a fuego vivo. Con unos 10 minutos tienen suficiente para estar hechas.

243. Patas de cerdo a la parrilla

Ingredientes para 4 personas:

4 patas de cerdo
1 cebolla
1 diente de ajo
perejil fresco
pimienta blanca en polvo
agua
1 vaso de vino blanco seco
100 gramos de pan rallado
sal.

Quitaremos las pezuñas de las patas, lavándolas varias veces en agua caliente, partiéndolas por la mitad, a lo largo (generalmente las venden ya partidas) y después las uniremos como estaban, envolviéndolas en unas tiras de lienzo para que no se deshagan, cociéndolas a fuego lento, con agua, el vaso grande de vino blanco, la cebolla, los ajos, perejil, sal y un poco de pimienta. Necesitan cocer de cinco a seis horas (dos en una olla a presión) y cuando estén cocidas las dejaremos enfriar antes de quitarles las tiras de tela y las rebozaremos en pan rallado y perejil picado asándolas a la parrilla a fuego vivo.

244. Patas de cordero fritas

Ingredientes para 4 personas:

8 patas de cordero
1 cebolla
1 zanahoria
1 diente de ajo
1 cucharada sopera de vinagre
1 vaso de vino blanco

Limpiaremos perfectamente las patas quemándolas si tienen algo de pelo y rascándolas con un cuchillo, las lavaremos en varias aguas y, por último, en agua hirviendo, poniéndolas en una cacerola, con agua muy caliente, la cebolla, la zanahoria, ambas peladas y cortadas en rodajas, perejil, el diente de ajo, la cucharada de vinagre y el vaso de

harina
3 huevos
1/4 litro de aceite
agua
perejil fresco
sal.

vino blanco, dejándolas cocer, a fuego lento, hasta que estén tiernas.

Retiradas del agua les quitaremos el hueso mayor, pasándolas por huevos batidos y por harina o bien por huevos y pan rallado, friéndolas en aceite muy caliente y sirviéndolas recién hechas.

245. Manos de ternera con setas

Ingredientes para 4 personas:
2 manos de ternera
500 gramos de setas frescas o de lata
1 cebolla
1 cucharada sopera de harina
1 vaso de vino blanco
agua
cuadraditos de pan frito en aceite
3 cucharadas soperas de aceite
sal.

Preparadas y limpias las manos las coceremos hasta verlas muy tiernas en agua y sal.

Echaremos el aceite en una cazuela, al fuego, friendo en él la cebolla pelada y picada, la harina y las setas, limpias y troceadas.

Añadiremos las patas, cocidas y cortadas a trozos, y el vino, dejándolas cocer, poco a poco, unos 15/20 minutos. Serviremos las manos con los picatostes de pan frito.

246. Pastel de hígado

Ingredientes para 4 personas:
800 gramos de hígado de ternera o de cerdo
4 patatas cocidas
200 gramos de magro de cerdo [1]
150 gramos de tocino
50 gramos de jamón
2 cucharadas soperas de manteca de cerdo
1/2 cebolla, 1 diente de ajo
perejil fresco, 1 huevo
2 cucharadas soperas de pan rallado
1 cucharada sopera de mantequilla, sal.

Con el magro de cerdo y 50 gramos de tocino rehogaremos la manteca, la cebolla picada, y cuando empiece a dorarse la retiraremos. Mezclaremos el hígado, el magro, el tocino, la cebolla, el diente de ajo y perejil muy picados con las dos cucharadas de pan rallado y el huevo bien batido. Untaremos de mantequilla un molde alargado y lo iremos llenando con la masa, intercalando a lo largo unas tiras de tocino y otras de jamón, poniéndolo al baño María y cociéndolo el tiempo preciso para que quede bien ligado.

Para ver si está hecho, meteremos un cuchillo y cuando salga seco lo retiraremos del molde sirviéndolo cortado en filetes y adornado con unos triángulos de patata cocida.

---

[1] Carne de cerdo sin grasa.

247. «Figatell»

Ingredientes para 3 personas:
1/4 kilo de hígado de ternera o cerdo
1/4 kilo de magro de cerdo [1]
1 clavo
perejil fresco
1/2 cucharilla de café, de canela en polvo
mantilla o tela de cerdo o tela de manteca
sal.

Picaremos bien el hígado y el magro, mezclándole perejil fresco picado, la canela, sal, el clavo y dejándolo un mínimo de 12 horas en reposo (mejor hacerlo la víspera). Después se amasa y forman una especie de albóndigas algo más aplanadas envolviéndolas en la mantilla o tela de cerdo y asándolas, a la plancha o la parrilla, justo al momento de ir a servirlas, esto es muy importante, pues pierden mucho si se deja en reposo, o bien están frías.

Dicen los levantinos «que si están bien condimentadas son manjar apetitoso», peculiar de Benejama; en Pego también suelen hacerlas muy parecidas.

---

[1] Carne de cerdo sin grasa.

248. Riñones de cordero a la plancha

Ingredientes para 4 personas:
1 kilo de riñones de cordero
3 dientes de ajo
1 tacita pequeña de aceite
1 limón
perejil fresco
sal.

Limpiaremos bien los riñones del sebo y las telillas y los abriremos por la mitad, dejándolos en un recipiente con sal, el zumo del limón colado, el aceite en crudo y los ajos y perejil machacados en un mortero, dejándolo macerar todo junto durante 10 minutos, y poco antes de servirlo a la mesa, lo asaremos a la plancha, dejándolos dorar por ambos lados y sirviéndolos rápidamente a la mesa.

249. Pastel de riñones

Ingredientes para 4 personas:
600 gramos de riñones de ternera
1/2 kilo de solomillo de cerdo
harina
1 limón

Para hacer la masa pondremos, en una vasija honda, 180 gramos de harina, con media cucharilla de sal y un chorrito de limón, añadiendo la mantequilla en trocitos, revolveremos con la mano, echando por los bordes un poco de agua fría, y se sigue revolviendo, sin amasarla, hasta que se incorpore toda la harina.

100 gramos de mantequilla
pimienta negra en polvo
1 vasito de caldo
1 huevo
agua
sal.

Echaremos sobre la mesa harina abundante colocando en ella la masa y pasando el rodillo, ligeramente, para darle forma alargada, doblándola en tres como un sobre, y volviéndola del otro lado, es decir, lo que estaba delante a los lados, volviendo a pasar el rodillo en sentido contrario, repitiendo esto otras dos veces, o sea, cuatro veces en total. Dejaremos la masa en un sitio fresco, mientras preparamos el relleno.

Del medio kilo de solomillo cortaremos unos filetes pequeños y finos, colocando en cada uno de ellos dos pedacitos de riñón de ternera, los enrollaremos y pasaremos por harina, con sal y un poco de pimienta, colocándolos en una fuente de horno más bien honda, añadiendo el caldo. Estiraremos la masa, sin apretar, con el rodillo, dejándola de un centímetro de gruesa y la cortaremos del tamaño y forma de la fuente, cubriendo ésta con la masa y haciendo un agujerito en el centro. Adornándola con unas tiras de la misma masa, levantaremos ligeramente los bordes con un cuchillo, para que queden hojaldrados y pintaremos con huevo batido, todo menos el borde, metiéndolo en horno fuerte, hasta que se dore, y cubriéndolo después con un papel aluminio, se vuelven a meter en el horno para que se haga el interior del pastel.

Se sirve frío o caliente, en este último caso se presentará recién hecho.

Capítulo IX

CARNES

CARNES

250.   Solomillo braseado

Ingredientes para 4 personas:
1 kilo de solomillo de ternera en un solo trozo
100 gramos de jamón cortado a tiras
100 gramos de tocino
2 zanahorias
1 copita de coñac
agua
sal.

Mecharemos el solomillo de ternera con las tiras de jamón y lo colocaremos en una cacerola sobre trozos finos de tocino y rodajas de zanahoria, poniéndolo unos cinco minutos a fuego vivo. Le añadiremos medio vasito de agua con la copita de coñac, cubriéndolo con más trozos de tocino y lo asaremos, tapado, a horno fuerte, unos 15 ó 20 minutos, sirviéndolo con su jugo muy caliente, después de haberlo cortado a rodajas.

251.   Solomillo mechado

Ingredientes para 4 personas:
1 kilo de solomillo en un solo trozo
100 gramos de jamón cortado a tiras
100 gramos de tocino cortado a tiras
4 cucharadas soperas de manteca
500 gramos de alcachofas
400 gramos de patatas
harina
2 huevos.

Prepararemos el solomillo mechándolo con las tiras de tocino y las de jamón, lo ataremos y asaremos en el horno con la manteca.

Coceremos los cogollos de las alcachofas (si no es su tiempo, las hay excelentes de conserva) y las freiremos, rebozadas en harina y huevos batidos. Prepararemos un puré de patatas espeso y formaremos con él y la manga unos redondeles o rosquillas rodeando la fuente, que ha de ser de metal. Pintaremos con huevo la patata colocando en cada una de ellas un cogollo de alcachofa frito y meteremos un momento en el horno para que se calienten, poniendo en el centro el solomillo recién trinchado. Por encima echaremos el jugo caliente.

252.   Ternera fiambre

Ingredientes para 4 personas:
500 gramos de carne de ternera
300 gramos de hígado de ternera
100 gramos de jamón
150 gramos de tocino
1/2 cebolla
1 diente de ajo
perejil fresco

Picaremos finamente la carne de ternera y el hígado con 50 gramos de jamón y 50 gramos de tocino, la cebolla, el ajo y un poco de perejil, mezclándolo bien y añadiendo la copita de coñac, sal y el huevo batido. Cortaremos en tiras el resto del jamón y el resto de tocino, colocando éstas formando un molde alargado que llenaremos con el picado preparado, intercalando a lo largo las tiritas de jamón. Lo dejaremos cocer al baño María, metiéndolo (cuando empiece a hervir) a horno mediano, donde debe cocer una hora, por lo menos. Comprobaremos metiendo una aguja de hacer punto si está cocido y le pondremos encima una tablita que encaje en el molde, con peso suficiente para prensarlo, dejándolo hasta el día siguiente.

Para retirarlo del molde lo meteremos un momento en agua caliente.

253. Carne con col

Ingredientes para 4 personas:
1 kilo de cadera de ternera
100 gramos de tocino fresco
1 col
100 gramos de jamón
1 cebolla
1 vasito de aceite
triángulos de pan
aceite para freír el pan
agua
sal.

Ataremos la carne para darle buena forma, rodeándola de trocitos de tocino fresco y cubriéndola con unas hojas de la col (si es necesario se vuelve a atar). La colocaremos en el fondo de una cazuela, con el aceite frito, las lonchas finas de jamón y el resto del tocino, así como la cebolla partida en ruedas; se pone sobre esto la carne y se tapa, dejándola sudar a fuego lento como media hora. El resto de la col, partida en pedazos, irá rellenando toda la cazuela, sazonaremos y cubriremos con agua, justo lo que se necesita para cubrirlo, nunca más. Tapada la dejaremos cocer una o dos horas, según sea la carne, y cuando esté tierna retiraremos los hilos. Si la salsa está demasiado caldosa la pondremos a hervir destapada, deshaciendo la col con la paleta hasta que quede como puré espeso. Se sirve, en una fuente, la carne trinchada y la col alrededor. Freiremos unos triángulos de pan, colocándolos alrededor del repollo.

NOTA: Es conveniente hervir la col (antes de ponerla con la carne) durante media hora.

254. Chuletas de ternera asadas

Ingredientes para 4 personas:
4 chuletas de ternera

Pondremos las chuletas de ternera en un adobo de aceite o manteca, ajo, perejil, sal y un poco de pimienta. Al cabo de

1 diente de ajo picado
perejil fresco picado
550 gramos de mantequilla
pimienta blanca en polvo
1 vaso de aceite o manteca de
cerdo
1 berenjena frita, 1 limón
sal.

una hora las escurriremos y asaremos a la parrilla (que debe calentarse antes) a fuego no demasiado vivo. Las pondremos en una fuente, colocando por encima un trozo de mantequilla amasado con perejil picado y las serviremos con rodajas de limón y berenjenas fritas.

255. «Alparagate» valenciano

Ingredientes para 4 personas:
600 gramos de carne de ternera
sin grasa
100 gramos de jamón
1 diente de ajo picado
2 cucharadas soperas de pan
rallado
perejil fresco picado
3 huevos
4 cebollas
1 taza de desayuno de caldo de
carne
1 taza de desayuno de vino
blanco
1/2 hoja de laurel
1/2 cucharilla de café, de canela
en polvo
2 vasos de aceite.

Picaremos bien la carne de ternera y el jamón uniéndolos y añadiéndoles el diente de ajo, el perejil, el pan rallado, las yemas de los huevos (guardaremos las claras) y batiremos todo esto amasándolo bien y dándole un ligero rehogo en una sartén al fuego, con parte del aceite.

Cuando esté frito le daremos forma alargada, que recuerde a una alpargata, rebozándolo por las claras batidas y friéndolo de nuevo, cuidando mucho que no se deshaga.

Tan pronto veamos que está dorado el «alparagate» lo separaremos del fuego friendo, en la misma grasa, las cebollas peladas y picadas. Puesto el «alparagate» en una cazuela lo cubriremos con las cebollas fritas, añadiremos el caldo, el vino, el laurel y la canela y le daremos un ligero hervor de cinco/ocho minutos al objeto de que se forme una salsa fina.

Este plato no precisa sal.

256. Carne con patatas tostadas

Ingredientes para 4 personas:
750 gramos de carne de ternera
100 gramos de tocino
40 gramos de patatas
3 huevos
agua
80 gramos de manteca de cerdo

Rehogaremos ligeramente en la manteca, sin que llegue a dorarse, la cebolla picada, le añadiremos la carne, el tocino y un poco de perejil, todo muy bien picado, le daremos un par de vueltas sobre el fuego, colocándolo después en una fuente resistente al horno.

Haremos un puré ligero de patatas, mezclándolo con dos yemas de huevo y, por último, con dos claras batidas a punto

perejil fresco
sal.

de nieve, cubriendo con él la fuente de la carne. Reservaremos un poco de huevo y meteremos la fuente a horno fuerte hasta que se dore por encima, momento en que podemos servirlo a la mesa.

257. Carne prensada

Ingredientes para 4 personas:
750 gramos de carne que sea tierna (puede ser ternera o vaca)
100 gramos de tocino
1 copita de jerez seco
1 huevo
pimienta negra en polvo
100 gramos de jamón en tiras
1 vasito de vino blanco
agua.
2 dientes de ajo
1/2 cebolla
1 cucharada sopera de pan rallado
sal.

Picaremos la carne y el tocino, pasándolo dos veces por la máquina de picar, lo uniremos con el pan rallado, la copita de jerez y el huevo batido, sazonándolo con sal y un poco de pimienta. La extenderemos sobre un trozo de tela blanca dándole forma de rollo, colocando entre ella a lo largo unas tiras de jamón. La envolveremos muy apretada y la coseremos, poniéndola a cocer en una cacerola con agua, el vaso de vino blanco, la media cebolla, los ajos, sal y un poco de pimienta, debe quedar bastante justa en la cacerola para que no sobre mucha agua.

Cuando esté casi consumida el agua retiraremos la carne y la pondremos a prensar entre dos tablas o fuentes con peso encima, dejándola unas tres horas. Cuando vayamos a servirla la quitaremos el paño y la cortaremos a rodajas finas. Si la deseamos caliente, colaremos la salsa, dándole un hervor y vertiéndola sobre la carne, calentando ésta un momento.

258. Carne del cocido con tomates y pimientos

Ingredientes para 4 personas:
carne del cocido (como 600/700 gramos, aproximadamente)
6 tomates frescos
3 pimientos verdes
1 cucharilla de café, de azúcar

Prepararemos una buena fritada con las cebollas peladas y picadas, los tomates picados, los pimientos asados, pelados y cortados a tiras y todo ello frito en el aceite (o manteca), con el ajo, sal y el azúcar.

Cortaremos o trocearemos la carne del cocido y, poco antes de ir a servir el plato a la mesa, la introduciremos en la

1/2 vaso de aceite
3 cebollas
1 diente de ajo.

fritada para que de un ligero hervor. Nos cabe también la posibilidad de preparar la carne en una cazuela, cubrirla con la fritada y tener ésta durante unos minutos sobre el fuego para calentarla.

Si gustan pueden añadirse calabacines y berenjenas fritas unidas al conjunto.

259.   Carne del cocido con perejil

Ingredientes para 4 personas:
700 gramos de carne del cocido
100 gramos de mantequilla
2 cucharadas soperas de vinagre
1 cucharada sopera de perejil
fresco picado
pimienta blanca en polvo
sal.

En una sartén, sobre el fuego, desharemos la mantequilla añadiendo la carne del cocido dividida en trozos, a la que echaremos sal y pimienta. La rehogaremos bien cuidando que no se rompa. Una vez hecha la escurriremos de la grasa dejándola en una fuente (mejor en el horno para que no se enfríe) en la grasa que nos queda echaremos el vinagre, le daremos un ligero hervor y lo verteremos sobre la carne que cubriremos con el perejil picado sirviéndola rápidamente a la mesa.

260.   Filetes rellenos de jamón

Ingredientes para 4 personas:
8 filetes tiernos
100 gramos de jamón
perejil fresco
50 gramos de pan rallado
2 dientes de ajo
patatas.

Los filetes serán gruesos y los golpearemos y aplastaremos hasta dejarlos finos y de una anchura doble de la corriente. Pondremos en uno de los lados una loncha fina de jamón y los doblaremos, dejando el jamón en medio y sujetándolo con un palillo. Los rebozaremos en pan rallado y en un poco de ajo y perejil muy picado, aplastándolos con las manos para que se pegue bien el pan a los filetes. Los asaremos a la plancha, volviéndolos un par de veces para que no se sequen. También pueden asarse al horno, con un plato de metal debajo de la parrilla para recoger el jugo. Los serviremos en una fuente y podemos acompañarlos de patatas redondas cocidas al vapor.

No precisa sal.

261. Carbonada de vaca

Ingredientes para 4 personas:

1 kilo de carne de vaca de la parte de la contra
1 taza de desayuno, de aceite
agua
3 cebollas grandes
50 gramos de harina
2 botellines de cerveza
pimienta blanca en polvo
patatas
sal.

Cortaremos la carne en filetes de 50 gramos, aproximadamente, de peso y los pasaremos por harina friéndolos en una sartén con aceite, al fuego, hasta que se doren un poco.

En una olla a presión se pone el aceite en crudo y una capa de cebolla, cortada en rodajas finas, otra de carne, otra de cebolla y así sucesivamente, hasta que quede todo colocado. Le echaremos la cerveza y sazonaremos con sal y pimienta, tapándola bien y dejándola cocer durante 30 minutos a fuego moderado.

Serviremos este plato a la mesa con las patatas hervidas al vapor.

262. «Cuixot de corder»

Ingredientes para 4 personas:

1 pierna de cordero de 1200 gramos de peso
2 dientes de ajo
100 gramos de manteca de cerdo
400 gramos de judías tiernas [1]
pimienta en polvo
agua
sal.

Prepararemos la pierna de «corder» (cordero), haciendo unos cortes o hendiduras en los que meteremos filetes de ajo, sal y pimienta. Untaremos bien la pierna con la manteca y la asaremos al horno.

Peladas y picadas las judías tiernas las daremos un hervor, y serviremos la carne, partida a trozos, con las judías y con todo el «suc» (jugo) que tenga.

---

[1] Judías verdes.

263. Pierna de cordero con judías verdes

Ingredientes para 4 personas:

1 pierna de cordero de 1200 gramos de peso
2 cebollas
150 gramos de tocino
400 gramos de judías verdes
agua

Escogeremos una pierna de cordero que no sea muy grasa. Si se teme que no sea tierna, conviene tenerla un par de días en un adobo de aceite, ajos y perejil.

También podemos quitarle el hueso y atarla como una carne corriente o asarla en su forma natural. Empezaremos por mecharla con tiras de jamón y la pondremos en una

1 vasito de jerez
caldo de carne
sal.

fuente sobre tiras de tocino y ruedas de cebolla, metiéndola en el horno a fuego vivo. En cuanto se empiece a dorar, echaremos el vasito de jerez (o vino blanco) y otro de caldo, teniendo cuidado de regarlo con su jugo mientras se asa. Debe quedar bien asado, pero interiormente rosado, como la carne de vaca. Aparte coceremos las judías verdes y cuando estén tiernas, las escurriremos. Así que la pierna esté asada la retiraremos y trincharemos poniendo las judías en su jugo, donde se rehogarán ligeramente.

La serviremos muy caliente con las judías alrededor. Este guiso también se puede aplicar al carnero.

264.　Corderito a la levantina

Ingredientes para 5 personas:

1/4 de corderito lechal
3 cucharadas soperas de manteca de cerdo
pimienta blanca en polvo
1 cebolla
6 tomates
1 diente de ajo
1 ramillete compuesto por tomillo y laurel
1 limón
1 yema de huevo, sal.

Cortaremos en trozos regulares el corderito, rehogándolo en una cazuela con la manteca (o grasa del puchero) sazonándolo con sal y pimienta y haciéndolo hasta que los trozos se doren. Retirada la carne, echaremos en la cazuela la cebolla picada, y cuando esté ligeramente dorada, añadiremos los tomates pelados, machacados y sin semillas, el diente de ajo majado y el ramillete compuesto. Volviendo a poner la carne en la cazuela y adicionando el jugo del limón batido con la yema de huevo. Coceremos ahora al horno durante 40 minutos y serviremos el cordero después de retirar el ramillete compuesto.

265.　«Tombet de les Useres»

Ingredientes para 4 personas:

1 kilo de carne de cabrito
2 papeletas de azafrán hebra
2 vasos de aceite
2 cabezas de ajo
agua
sal.

Haremos esta receta en un perol en el que echaremos el aceite, friendo en él la carne de cabrito, cortada en trozos y con sal. Adicionaremos el azafrán y cubriremos con el agua, arrancando el hervor a fuego fuerte y, una vez iniciado, bajando su intensidad y dejando que se haga a fuego lento, moviendo el perol a «pequeños empellones» para que no se pegue.

Cuando la carne esté hecha apagaremos el fuego y le añadiremos las dos cabezas de ajo muy picados sirviéndolo después a la mesa cuando esté aún caliente.

266. Carne de cerdo a la sal

Ingredientes para 4 personas:
1 kilo de carne de cerdo (so-lomillo o lomo) en un solo trozo
1 kilo o más de sal gorda
guarnición al gusto.

Ataremos la carne dándole buena forma y la cubriremos bien por todos los lados con la sal, formando una verdadera capa.

La asaremos en el horno, en una fuente, a horno moderado hasta que la sal se desprenda.

Para servirla lo haremos rompiendo la capa de sal, queda perfectamente asada y muy rica.

La serviremos en rodajas y con la guarnición elegida: patatas fritas, champiñones rehogados o ensalada del tiempo.

267. Solomillo de cerdo relleno

Ingredientes para 4 personas:
1 solomillo de cerdo (1 kilo de peso)
100 gramos de manteca de cerdo
1 cebolla
2 cucharadas soperas de pan rallado
200 gramos de setas
perejil fresco
1 hoja de laurel
1 zanahoria
puré espeso de patatas
sal.

Limpiaremos bien el solomillo partiéndolo por su mitad a lo largo, sin separar del todo los pedazos, de forma que quede como un libro abierto y pegándolo con el mazo para darle forma.

Prepararemos un relleno con la cebolla picada, frita ligeramente, una cucharada de manteca, las dos cucharadas de pan rallado, perejil picado y unas setas pequeñas, ya fritas o, si no se encontraran, jamón picadito. Rellenaremos el solomillo, lo ataremos y haremos en una cazuela con el resto de la manteca, la zanahoria y la hoja de laurel. Lo trincharemos y serviremos a la mesa con puré de patatas espeso.

268. Codillo fresco asado

Ingredientes para 4 personas:
1 kilo de codillo de cerdo

Pondremos el codillo en un plato echándole sal, perejil y los ajos, ambos picados, durante un par de horas colocando

perejil fresco
3 dientes de ajo
80 gramos de manteca de cerdo
400 gramos de patatas
1 vasito de vino blanco seco
caldo de carne
sal.

después en una fuente untada con la manteca y metiéndolo a horno fuerte. Cuando esté dorado le agregaremos las patatas peladas y moldeadas en redondo (si no hay nuevas) y añadiendo el vino blanco y un poco de caldo.

Las patatas deben cocerse al mismo tiempo que el codillo y quedar doraditas lo mismo que éste.

269. Chuletas de cerdo a la naranja

Ingredientes para 4 personas:

4 chuletas de cerdo
el zumo de 4 naranjas y un poco
de su corteza
1 vasito de jerez
1 cucharada sopera de maicena
agua
1/4 de cucharilla de polvo de
jengibre
1 vasito de aceite
pimienta negra recién molida
sal.

Ligeramente impregnadas de aceite crudo, asaremos las chuletas, bien a la parrilla bien a la plancha. No han de quedar muy hechas. En una cazuela puesta al fuego echaremos el zumo de las naranjas, alargando con dos o tres cucharadas de agua.

Cuando inicie el hervor incorporaremos el jerez, en el que habremos desleído la cucharada de maicena, removiendo bien con la cuchara de madera y sazonando con sal y pimienta. Incorporaremos las chuletas, un poco de corteza de naranja rallada y el jengibre, tapado y dejando cocer a fuego lento por espacio de unos 15 minutos.

Las serviremos a la mesa muy calientes.

270. Lomo con leche

Ingredientes para 4 personas:

1 kilo de lomo de cerdo en un
solo trozo
1/2 litro de leche
1 diente de ajo
laurel en trocitos
pan frito
80 gramos de manteca de cerdo
1 cucharada sopera de aceite
sal.

Adobaremos el lomo con sal, el aceite, el diente de ajo picado y el laurel. En este adobo permanecerá 45 minutos pasados los cuales lo ataremos y asaremos en la manteca, añadiendo la leche, fría. Una vez tierno lo retiraremos y quitaremos la cuerda haciendo reducir la leche hasta que quede como una salsa rubia y espesa. Lo trincharemos sirviéndolo cubierto de la salsa y con trozos de pan frito.

Este lomo puede asarse en el horno o bien en una cazuela, tapada, sobre el fuego.

Capítulo X

AVES Y CAZA

AVES Y CAZA

271. «Conill espatarrat»

Ingredientes para 4 personas:

*1 conejo casero, de 1200
gramos de peso
1 cebolla gorda
1 vaso de aceite
agua
1 carlota
150 gramos de setas [1]
8 almendras tostadas
1 zanahoria
perejil fresco
patatas
aceite para freír las patatas
sal.*

Pondremos el conejo entero, y con sal, en una «rustidera» (fuente de horno) añadiendo el aceite (en crudo) y tres cucharillas de agua colocando, alrededor, la cebolla pelada y cortada en cascos.

Rallaremos la carlota y la zanahoria y trincharemos finamente las setas majando el conjunto en un mortero, adicionando las almendras picadas y peladas, perejil cortado finamente y sal. La mitad de este majado lo verteremos a la «rustidera», que meteremos al horno con fuego lento, reservando el resto, que se añadirá poco a poco durante el asado del conejo.

Lo serviremos con patatas fritas.

_____
[1] Pueden ser frescas o secas, en este último caso se pondrán a remojo, en agua fría, unos 40 minutos antes de ser utilizadas.

272. Conejo a la alicantina

Ingredientes para 4 personas:

*1 conejo casero de 1 kilo de peso
2 vasos de aceite
50 gramos de manteca de cerdo
3 dientes de ajo
pimienta negra en polvo
1 hoja de laurel
1 copita de jerez seco
2 tazas de desayuno de caldo o
agua
1 copita de vinagre
un poco de orégano
sal.*

Limpiaremos bien el conejo y lo partiremos en trozos regulares o, si se prefiere, en cuatro pedazos, a los que daremos sal. Los doraremos bien en una cazuela al fuego con el aceite y la manteca (mitad y mitad), incorporando los ajos enteros, pimienta y la hoja de laurel, agregaremos un poco de caldo o agua con el vino de Jerez y lo dejaremos cocer hasta que la carne esté muy tierna, lo que se comprobará pinchándola con un cuchillo de punta afilada.

Poco antes de servirlo a la mesa, y para que dé solamente un hervor, añadiremos un poco de orégano y un chorro de vinagre.

273. Conejo a la valenciana

Ingredientes para 4 personas:

1 conejo casero de 1 kilo de peso

Limpiaremos, trocearemos y lavaremos el conejo escurriéndolo bien y pasando los trozos por harina los freiremos

1 pimiento verde fresco
3 dientes de ajo
pimienta negra en polvo
perejil fresco
2 vasos de aceite
1 taza de desayuno de caldo de carne
50 gramos de harina
sal.

en la sartén, al fuego, con aceite. Estos trozos se irán echando a una cazuela y cuando estén todos bien dorados en el aceite sobrante, echaremos el pimiento (cortado para que se rehogue), los ajos y el perejil (machacados), espolvorearemos con sal y pimienta. A esta mezcla le incorporaremos el caldo (o en su defecto agua) y, cuando haya hervido durante 15 minutos, lo verteremos sobre el conejo, que estará en la cazuela.

Dejaremos cocer el conejo y la salsa hasta que lo veamos muy tierno, momento en que lo serviremos a la mesa.

274. Pastel de conejo

Ingredientes para 4 personas:
1 kilo de conejo casero
2 cebollas
2 dientes de ajo
2 tomates
2 pimientos verdes
masa de coca [1]
1 vaso de aceite
sal.

Limpiaremos y trocearemos el conejo dándole sal. Haremos un sofrito, en una sartén al fuego, con el aceite, las cebollas, dientes de ajo, tomates y pimientos, todo pelado y picado y en un sofrito con sal rehogaremos el conejo. Una vez rehogado el conejo extendemos la masa de coca y forraremos un molde, colocando sobre la pasta el conejo con un sofrito y metiendo el molde al horno para que se haga bien la masa, que debe quedar dorada.

Serviremos el pastel, desmoldado y vuelto a calentar, en una fuente al horno (el desmoldado se hará en frío. Aconsejamos los moldes de base desmontable).

---

[1]   Ver Capítulo VI: Varios. Receta de «Coca alicantina», para hacer la masa.

275. Pollo a la sal

Ingredientes para 4 personas:
1 pollo entero, con un peso de 1 300 gramos
1 kilo de sal gorda acaso más
patatas fritas
400 gramos de verduras del tiempo.

Preparar el pollo, abriéndolo por su parte interior y vaciándolo. Una vez limpio, se ata con un hilo, prestando suma atención a esta operación para que quede prieto. El cuello se corta dejando un poco de piel y se ata también.

Pondremos un poco de sal en una «rustidera» (fuente de horno) y colocaremos el pollo sobre ella, cubriéndolo totalmente con el resto de sal.

Meteremos el pollo en el horno y, cuando se compruebe que la sal que lo cubre se abre, lo retiraremos, pues es señal de que ya está hecho y en su punto.

Lo limpiaremos de sal y presentaremos con una guarnición de patatas fritas y verduras del tiempo, cocidas.

276. Pollo a la levantina

Ingredientes para 4 personas:
1 pollo de 1.300 gramos de peso
1 vaso de aceite
100 gramos de tocino
1 taza de desayuno de caldo de carne
1 ramillete compuesto por perejil, apio y laurel
pimienta negra en polvo
16 cebollitas pequeñas.

Prepararemos el pollo entero y lo rehogaremos en una cacerola al fuego con el aceite y el tocino, cortado éste en trozos, hasta que tome buen color, añadiendo el caldo. Agregaremos el ramillete compuesto, la sal y la pimienta y lo dejaremos cocer lentamente 30 minutos, dándole vueltas de vez en cuando y añadiendo las cebollitas salteadas en aceite para que sigan cociendo con el pollo durante otra media hora. Una vez hecho, lo trocearemos y presentaremos en una fuente rodeándolo con las cebollitas y rociando todo en el jugo de la cacerola pasada por un colador fino.

277. Pollo con arroz y riñones

Ingredientes para 4 personas:
1 pollo con un peso de 1.300 gramos
400 gramos de arroz
6 riñones de cordero
1 latita de champiñones
2 trufas
4 cucharadas soperas de puré de tomate
1 nabo
un poco de apio
1 zanahoria
1 hueso blanco de ternera
2 cebollas
2 cucharadas soperas de queso rallado
100 gramos de manteca de cerdo

Preparación del caldo:

Coceremos en una olla el hueso de ternera (tres litros de agua), el cuello y la molleja del pollo, la zanahoria, el nabo, una de las cebollas y sal, le quitaremos la espuma formada, cuando comience a hervir, cociendo después lentamente el conjunto durante dos horas, hasta obtener un litro y medio de caldo pasando éste por un colador fino.

Preparación del pollo:

Limpiaremos el pollo partiéndolo por sus coyunturas y dejando los trozos en una cazuela (puesta a fuego vivo con la manteca de cerdo) y rehogándolos hasta que adquieran un color dorado. Adicionaremos entonces media cebolla finamente picada, continuando rehogándolos e incorporar la harina antes de que la cebolla se dore. Les daremos unas vueltas, incorporando luego una de las copitas de jerez, dos tazas del caldo, la mitad del tomate, previamente pasado, una

1 cucharada sopera de harina
2 copitas de jerez
agua
pimienta blanca en polvo
150 gramos de jamón.

trufa y los champiñones, ambos cortados en trocitos (guardando de estos últimos unas cuantas cabezas bonitas). Sazonaremos a continuación con sal y pimienta el conjunto que coceremos lentamente por espacio de 40 minutos.

Haremos seis triángulos de jamón, cortando el resto en trocitos y echándoselos al pollo.

Preparación de los riñones:

Quitaremos a los riñones la piel y grasa partiéndolos por la mitad y poniéndolos en un pote al fuego con una cucharada de mantequilla, friéndolos durante cinco minutos y agregando a continuación el jerez, el resto de la trufa finamente trinchada, el resto del tomate y otra taza de caldo, sazonaremos con sal y pimienta y las coceremos durante diez minutos.

Preparación del arroz:

Rehogaremos media cebolla trinchada, con el resto de la mantequilla agregando el arroz antes de que aquélla empiece a adquirir color y haciéndolo unos minutos, le añadiremos después un litro de caldo, sazonando con un poco de pimienta y sal. Lo coceremos lentamente durante cinco minutos, incorporando el queso y continuando la cocción durante cinco minutos más. Transcurridos éstos, taparemos la cacerola y la introduciremos en el horno, durante 10 minutos. Seguidamente, rellenaremos con el arroz un molde de corona untado con mantequilla para moldearlo, volviéndolo después con cuidado, sin deformarlo, en una fuente ovalada y llenando el hueco central con el pollo, alrededor irán los discos de trufa y las cabezas de champiñones rodeándoles con los riñones, intercalados con los triángulos de jamón, ligeramente fritos con un poquito de manteca y cubriendo, por último, todo con la salsa donde se hicieron los pollos.

278.   Pollo a la naranja

Ingredientes para 4 personas:
1 pollo tierno, de 1.300 gramos

Limpiaremos bien el pollo, sazonándolo con sal y dejándolo en una cazuela refractaria, añadiremos la manteca, las

150 gramos de champiñones
100 gramos de manteca de cerdo
50 gramos de mantequilla
2 hígados de gallina
1 cucharada sopera de harina
4 escalonias
1 zanahoria
1 vaso de vino tinto
1 hoja de laurel
un poco de tomillo
2 naranjas
1 vaso de caldo
pimienta negra en polvo
sal.

escalonias y la zanahoria, ambas peladas y lo introduciremos en el horno y dejando que empiece a dorarse. Incorporaremos la harina, los hígados, el laurel, el tomillo, el vino y el vaso de caldo tibio o agua, echar sal y pimienta y proseguir la cocción. Cinco minutos antes de retirar del horno añadiremos el zumo de media naranja. Trincharemos el pollo y lo colocaremos en una cazuela. Majaremos los hígados en el mortero y los machacaremos, pasándolos por un tamiz junto con la salsa que verteremos sobre el ave agregando los champiñones y un poco de corteza de naranja cortado todo en tiritas finas, cociendo el conjunto a fuego abierto durante cinco minutos y añadiendo la mantequilla.

Decoraremos el pollo con rodajas de naranja.

279.   Gallitos con arroz

Ingredientes para 4 personas:
2 gallitos jóvenes y tiernos
1 diente de ajo con su piel
un poco de salvia
400 gramos de arroz cocido en blanco
1 limón
1 vaso de aceite
1 taza de desayuno de buen caldo
sal.

Limpiaremos bien los gallitos dejándolos enteros y disponiéndolos en un plato o fuente honda les echaremos sal y el zumo, colado, del limón, en esa especie de adobo o maceración permanecerán de una a dos horas.

Una vez haya pasado el tiempo indicado echaremos el aceite en una cazuela al fuego, con el ajo sin pelar, y rehogaremos los gallitos junto con la salvia (sólo un poco) tapando la cazuela y cociéndolos, poco a poco, añadiendo el caldo de forma que nos queden muy tiernos.

Los serviremos con un plato caliente de arroz cocido en blanco o bien distribuiremos el arroz alrededor de los gallitos puestos en una fuente.

280.   Gallina cocida con guarnición

Ingredientes para 4 personas:
1 gallina joven, de 1250 gr
agua
1 zanahoria

Ataremos la gallina entera y bien limpia colocándola en una olla, al fuego, con agua, la zanahoria, los nabos, el puerro, un poco de tomillo, el laurel, el apio, el diente de ajo, la cebolla, los clavos de especia y la sal, para que cueza

2 nabos, 1 puerro
un poco de tomillo
1 hoja de laurel
un poco de apio
1 diente de ajo, 1 cebolla
2 clavos
250 gramos de arroz
2 cucharadas soperas de harina
2 cucharadas soperas de manteca de cerdo
manteca de vaca fresca
1 yema de huevo duro
50 gramos de nata, sal.

lentamente. Media hora antes de terminar su cocción, añadiremos el arroz escaldado.

Para servirla la escurriremos desatándola y disponiéndola en trozos sobre el arroz y poniéndola en gran plato hondo. Con parte del caldo del cocimiento, prepararemos una salsa que presentaremos al mismo tiempo.

Cómo haremos la salsa: tostaremos la harina en la manteca de cerdo, echaremos el caldo, dejándola reducir, la ligaremos con una yema de huevo crudo y la nata, añadiendo una cucharada de manteca fresca de vaca. Una vez pasada por tamiz fino, la serviremos en salsera aparte.

281. Gallina trufada con gelatina

Ingredientes para 4 personas:
250 gramos de jamón
400 gramos de carne magra de cerdo picada
300 gramos de rabadilla picada
200 gramos de tocino graso
50 gramos de miga de pan
35 gramos de fécula de patata
30 gramos de hojas de cola de pescado
200 gramos de frutas escarchadas
2 copitas de coñac
2 huevos
2 zanahorias
2 claras de huevo
3 trufas
2 vasos de leche
1 copita de jerez
1 cebolla
1 nabo
1 lata de foie-gras
azafrán en hebra
agua, sal.

Chamuscaremos bien y quitaremos todas las plumitas a la gallina, seccionándola después sus partes unos tres centímetros más arriba de las coyunturas, donde comienza a nacer el muslo y seccionando también los alones por las segundas coyunturas. Pondremos el ave con la pechuga hacia abajo, haciéndole una pequeña abertura en la piel, con un cuchillo pequeño dando comienzo por la cabeza para llegar hasta la espina dorsal y extraer la tráquea. Desprenderemos los huesos y la carne de la piel (excepto en la parte correspondiente a la pechuga, donde la carne se dejará unida a la piel), teniendo un cuidado especial en no picarla ni agujerearla al efectuar dicha operación. Seguidamente, desprenderemos los muslos, deshuesándolos y cortando su carne con la que haremos cuatro tiras en toda su longitud (dos de cada uno de ellos).

Cortaremos cuatro tiras de tocino, otras cuatro de jamón y cuatro, también, de trufa.

Relleno: pasaremos, tres veces consecutivas, por una máquina de picar, la carne de ternera, la de cerdo, el sobrante del tocino, los restos de los muslos de gallina y la miga de pan, remojada en la leche adicionándole después dos huevos, el coñac, la fécula de patata, el jerez, la sal, pimienta, nuez moscada rallada y el foie-gras. Mezclando muy bien dichos componentes.

Extenderemos sobre una mesa el pellejo de la gallina, poniendo sobre él una capa de relleno anterior y luego las tiras de pollo, tocino, jamón y trufa, formando una hilera a lo largo, en la que la trufa ocupará el centro. Cubriremos las tiras con más relleno y volveremos a colocar otras tiras en la misma forma que anteriormente, cubriéndolas de nuevo con otra parte del picadillo. Repetiremos dicha operación hasta llenar la gallina, uniendo luego la piel por sus extremos lo mejor posible y cociendo ésta con hilo fuerte o cuerda fina.

Envolveremos la gallina en un paño, atando con cuerda los extremos de éste y sujetando el centro con una cinta. La introduciremos en una cazuela, donde la cubriremos totalmente con agua, cociéndola, tapada, a fuego regular, con un nabo, una cebolla, una zanahoria (tres dientes cortados en trozos grandes), el caparazón del ave y sal, durante dos horas, este tiempo variará en razón a lo tierna que pueda ser la gallina. Lo más conveniente para asegurarse de su perfecta cocción consistirá en oprimir ligeramente los huesos del caparazón, si ceden a esta presión es que está cocida y, si no es así, deberá prolongarse la cocción.

Cuando esté hecha, volveremos a sujetar bien el trapo, apretándola y colocándola en una fuente con el cosido hacia abajo. Dejaremos la fuente en sitio fresco y prensaremos el ave poniendo sobre ella una superficie plana (tabla, plancha, etc.) con un peso encima de unos cinco kilos, durante veinticuatro horas.

La gelatina: pasaremos (dos veces consecutivas), por un paño mojado en agua fría, medio litro del caldo donde se coció la gallina (cuando esté frio), echándolo en un pote y añadiendo una clara sin batir y unos hilitos de azafrán (o un poco de jugo de carne concentrado) para que adquiera color. Colocaremos el pote al fuego, añadiendo las colas de pescado remojadas de antemano con dos cucharadas de agua templada y trabajando el conjunto con un batidor. Cuando comience a hervir adicionaremos una cucharada de agua fría, después otra cucharada más y retiraremos el pote cuando se aparte la espuma formada al hervir. Seguidamente pasaremos su contenido por un paño mojado en agua fría y lo dejaremos cuajar sobre hielo.

Trincharemos finamente una parte (o toda si se desea) de la gallina, colocándola en una fuente alargada y adornadas con la gelatina, concluiremos la decoración con frutas escarchadas. Puede adornarse también con huevo hilado y las mismas frutas escarchadas.

NOTA: Se trata de una receta un poco complicada, de alta cocina, pero de muy bonita presentación.

282. Pepitoria de pavo

Ingredientes para el guisado:
800 gramos de pavo en trozos
500 gramos de patatas
100 gramos de longaniza
50 gramos de piñones
un poco de perejil fresco
1 hoja de apio
1 clavillo
pimienta blanca en polvo
agua, sal.

Ingredientes para el relleno:
250 gramos de magro de cerdo [1]
125 gramos de menudillos de ave
25 gramos de tocino
1 huevo
250 gr de «molla» (miga de pan frito)
la sangre del ave
sal.

Ingredientes para la salsa:
2 dientes de ajo asados
perejil fresco picado
12 almendras fritas
1 rebanada de pan frito.

Limpiaremos de plumitas los trozos de pavo y los dejaremos en una cazuela cubiertos de agua, colocando la cazuela o puchero al fuego y añadiendo el apio y el perejil haciéndolo hervir durante media hora, al cabo de la cual se agregan las patatas, peladas y cortadas a rodajas y todas las especias, o sea, los piñones, el azafrán, pimienta, clavillo, sal, y también la longaniza.

Mientras, con los ingredientes del relleno, prepararemos una masa, haciendo con ella las bolas, que incorporaremos en la cazuela, de forma que el caldo las cubra convenientemente.

Picaremos en un mortero los ajos asados, las almendras fritas, el pan frito y perejil, este majado lo verteremos sobre el relleno.

Cocerá todo, hasta que comprobemos que la carne del pavo está hecha.

Se trata de un plato típico de Navidad. En época normal se hace con pollo o gallina.

---

[1] Carne de cerdo sin grasa.

283. Pato de agua cocido

Ingredientes para 4 personas:
1/4 kilo de garbanzos secos
1 pato de 1500 gramos de peso
750 gramos de patatas
1 hoja de apio
azafrán en hebra
50 gramos de fideos finos o pan de sopa
agua
sal.

Los garbanzos (previamente remojados) los pondremos al fuego con agua y sal y los espumaremos, agregándoles después el pato de agua, dejándolos hervir.

A media cocción, añadiremos las patatas troceadas, el apio, el azafrán y la sal, dejándolo cocer todo hasta que la carne del pato esté tierna.

Del caldo, con pan o fideos, haremos una sopa.

Según leemos... «Estos patos silvestres, se cazan en El Hondo (Elche). Se abre la veda a principios de octubre y se cierra a finales de febrero. Las tiradas —famosísimas en toda la comarca— comienzan a mediados de noviembre».

«Las mejores clases son el "culiverde" y su hembra la "anera"; también el "chulador", el "salsete" y el "roncador". El "paleto" no es tan gustoso».

284. Codornices en paella o cacerola

Ingredientes para 4 personas:
4 codornices
2 cebollas
2 puerros
2 pimientos verdes
2 zanahorias
4 dientes de ajo
1 papeleta de azafrán en hebra
3 vasos de aceite
300 gramos de arroz
3/4 de litro de agua o caldo de carne
pan frito, sal.

En una sartén, con parte de aceite, haremos una fritada con las cebollas, puerros, pimientos, zanahorias y ajo, todo muy picado, sin dar lugar a que se dore mucho la cebolla.

Aromatizaremos la fritada con varios hilos de azafrán y la sazonaremos. Echaremos sal a las codornices y las freiremos en aceite.

La fritada y las codornices las colocaremos en una paella o cacerola, adicionando el arroz y rehogando el conjunto, y le añadiremos un litro de caldo o agua hirviendo. Todo junto debe hervir durante 15 minutos, con sal. Dejaremos reposar el guiso cinco minutos sirviéndolo muy caliente, en la misma paella o cacerola y acompañado de los panes fritos.

285. Ajos de liebre

Ingredientes para 4 personas:

1 liebre de monte, de 1 200
gramos de peso
750 gramos de garbanzos secos
1 kilo de patatas
1 cebolla
pimienta negra en polvo
agua
sal.
Ingredientes para la sopa:
caldo de la liebre
salsa «all i oli»
1 huevo duro
embutido [1]
pan para la sopa.

En un puchero al fuego con agua, echaremos los garbanzos (ya remojados desde la víspera) echando la cebolla pelada y cortada en dos, sal, un poco de pimienta y la liebre pelada y cortada a cuartos. Dejándolo hervir y, poco antes de dar por finalizada su cocción añadiremos las patatas peladas y cortadas a trozos.

En el mismo recipiente, pondremos el embutido, le daremos un hervor y lo reservaremos para la sopa.

Aparte haremos «all i oli», con aceite, ajo, una yema de huevo y sal, pudiendo añadirle una patata cocida para que no esté tan fuerte.

En una cazuela pondremos al fuego parte del caldo del cocido y le añadiremos un poco de pan para la sopa. Al romper el hervor, incorporaremos el embutido, cortado a trocitos pequeños, los trozos de liebre y la salsa «all i oli», adicionando también el huevo duro pelado y cortado y dejándolo hervir unos tres/cinco minutos.

[1] El embutido serán: dos «blancos» (especie de butifarra blanca), dos morcillas y dos longanizas.

286. Pichón relleno

Ingredientes para 4 personas:

2 pichones
2 cebollas pequeñas, 4 tomates
25 gramos de mantequilla
Ingredientes para el relleno:
50 gramos de jamón
100 gramos de carne de cerdo
2 aceitunas rellenas
pimienta blanca en polvo

Haremos una masa con todos los ingredientes del relleno, procurando que el jamón y la carne de cerdo estén bien picadas.

Seguidamente limpiaremos los pichones, rellenándolos con aquella masa y los sujetaremos con dos palillos, para que no salga su contenido.

Pondremos un caldero de hierro al fuego, con el aceite, colocando en su interior las cebollitas, los tomates a trozos y los pichones enteros y con sal.

1 clavillo, perejil fresco
3 dientes de ajo
50 gramos de manteca de cerdo
1 cucharada sopera de pan ra-
llado
Ingredientes para la guarnición:
patatas fritas.

Durante tres cuartos de hora les iremos dando vueltas a los pichones para que se vayan dorando bien y, cuando se compruebe que están hechos añadiremos la mantequilla.

Los serviremos rodeados con las patatas fritas.

287. Pastel de perdiz

Ingredientes para 4 personas:
1 perdiz
200 gramos de tocino
75 gramos de lengua en fiambre
1 trufa
1 copita de coñac
tela de cerdo.
Ingredientes para el concentrado:
2 copitas de jerez seco
1 hoja de laurel
un poco de tomillo
1/4 litro de agua.
Ingredientes para el relleno:
300 gramos de carne magra de
cerdo
200 gramos de carne de ternera
100 gramos de tocino
50 gramos de miga de pan
1 vaso de leche
25 gramos de fécula de patata
2 huevos
nuez moscada rallada
pimienta negra en polvo
sal.

Deshuesaremos la perdiz sacando las dos pechugas enteras y picando el resto de la carne.

Haremos tiras del tocino, de la lengua y la trufa, poniéndolas en una cacerola con las pechugas de la perdiz (partidas por la mitad), rociando con la copa de coñac y dejándola en esta maceración unos 45 minutos.

Concentrado: coceremos en una cazuela los huesos de la perdiz, las copitas de jerez, la hoja de laurel, el tomillo con el agua hasta que el líquido quede reducido a cinco cucharadas soperas.

Relleno: picaremos la carne magra de cerdo y la ternera, pasándolas por una máquina de picar, con el tocino cortado en tiras y la miga de pan remojada en la leche, dos o tres veces consecutivas, hasta obtener un picadillo fino, añadiremos entonces fécula de patata, los huevos, el coñac en que se han estado macerando las tiras de tocino y trufa, las tiras de esta última, la carne de la perdiz picada al principio y, por último, el concentrado obtenido anteriormente, sazonando seguidamente el conjunto con pimienta, nuez moscada y sal.

Remojaremos en agua templada 100 gramos de tela de cerdo, bien escurrida forraremos con ella el interior de un molde cuadrado, colocando en el fondo una capa del preparado anterior y sobre ésta, las tiras de tocino y de lengua, volviendo a poner otra capa de picadillo, sobre ésta las pechugas de la perdiz, divididas en tiras. Taparemos luego todo con el sobrante de la tela de cerdo y lo coceremos al baño María en el horno durante una hora y media, teniendo tapada la boca o superficie del molde con un papel aluminio.

Cuando se haya ajustado a la boca del mismo colocaremos encima unos 6 kilos de peso para prensar su contenido, dejándolo así en sitio fresco durante 12 horas y transcurridas éstas lo retiraremos con cuidado, cortándolo en lonchas muy finas que serviremos en una fuente a modo de plato frío.

288. Venado asado con salsa pebrada

Ingredientes para 8 personas:
1 pieza de venado con un peso aproximado de 1 800 grmos
1 loncha fina de tocino fresco
200 gramos de despojos del venado.
Ingredientes para el adobo:
4 vasos de vino blanco seco
2 zanahorias
1 diente de ajo
1 ramito de perejil
1 rama de apio
1 vaso de vinagre de vino
pimienta negra en polvo
sal
1 clavo.

Pondremos a macerar el corzo y sus despojos durante cuatro horas, con las zanahorias y las cebollas cortadas en rodajas, los ajos machacados, el perejil, apio, clavo, sal y pimienta, rociado con el vino blanco y el vinagre.

En el momento de asar la pieza de carne, la escurriremos y reservaremos el caldo para hacer la salsa pebrada, rodearemos la carne con la loncha de tocino, metiéndola en el horno, a fuego vivo. La carne deberá servirse hecha por fuera y rosada por dentro; este punto se consigue cuando algunas gotas del jugo rojo caen en la fuente. Momento en que la dejaremos que esponje cinco o diez minutos con la puerta del horno entreabierta.

Serviremos aparte la salsa pebrada.

Cómo se hace la salsa pebrada: esta salsa se prepara con el jugo del adobo en el que ha estado la carne del venado con la que se ha de servir. El adobo y la salsa llevarán los siguientes ingredientes: zanahorias, cebollas, ajo machacado, perejil, apio, clavo, sal, pimienta, una botella de buen vino blanco.

Para la salsa: 2 vasos de vinagre de vino, sal, pimienta, manteca de cerdo, mantequilla, harina.

Colaremos el jugo del adobo. Uniremos los ingredientes y los rehogaremos hasta que tomen color en dos cucharaditas de manteca de cerdo. Mojaremos con el jugo del adobo y el vinagre y coceremos tapados y a borbotones 35 minutos. Colaremos y pasaremos los residuos, echando finamente un cacillito de agua hirviendo para que todo pase bien.

Haremos una salsa calentando una cucharadita de mantequilla y tostando en ella otra de harina, echando la salsa del adobo y dejando que espese. Probaremos echando sal y pimienta y añadiendo un poco de nuez moscada, y una vez fuera del fuego, agregaremos dos bolitas de mantequilla.

Capítulo XI

VARIOS

VARIOS

289.   «Gachamiga batida»

Ingredientes para 4 personas:
750 gramos de harina
1/2 litro de aceite
1 cabeza de ajo
sal.

Con el agua y la harina prepararemos una gacha que no esté ni caldosa ni espesa, a la que añadiremos sal.

En una sartén, con aceite, freiremos los ajos, añadiendo seguidamente la «gacheta» preparada anteriormente, removiéndola para que no se pegue.

Cuando esté dura le daremos una vuelta, como si fuera una tortilla de patatas, y una vez hecha por ambos lados la serviremos.

290.   «Bollo»

Ingredientes para 4 personas:
1/2 kilo de harina de maíz
1 vaso grande de agua
1/2 vaso grande (de agua) de aceite
sal.

Amasaremos todos los ingredientes en un bol hondo hasta formar una pasta homogénea. Seguidamente, formaremos tortas de unos 30 centímetros y que sean lo más finas posible.

Haremos un reborde alrededor de las mismas, poniendo un poco de aceite en su interior.

También podemos espolvorear harina por encima, para que queden grumosas.

291.   «Coca fassida» de atún

Ingredientes para 4 personas:
Ingredientes para la masa:
1 kilo de harina
levadura
sal.
Ingredientes para el relleno:
1 cebolla
1 tomate
atún o melva
aceite
sal.

Echaremos la harina con sal en un pote, añadiremos la levadura disuelta en un poco de agua tibia, amasando el conjunto y dejándola reposar en lugar templado hasta que fermente.

Mientras tanto prepararemos el relleno, friendo la cebolla y el tomate, la melva o el atún (desalados y troceados) se añadirán al frito del relleno.

Con el rodillo de madera extenderemos la mitad de la masa; colocándola luego en una llanda[1] y poniendo sobre

---

[1]   Molde especial de hacer coca.

ella el relleno. Con el resto de la masa prepararemos la tapa con reborde.

Meteremos la coca una media hora a horno regular.

292. Coca alicantina

Ingredientes para 4 personas:
1 taza de aceite
1 taza de agua
sal
harina (la que admita para hacer la masa).

Mezclaremos el aceite, agua y sal y le añadiremos harina suficiente para hacer una masa, que se estirará con el rodillo, se riega con un poco de aceite y se repite la operación hasta cuatro veces.

La última vez se estira sobre una placa untada de aceite, dejándole un recorte alrededor y echando en el centro las «migitas», que se hacen del modo siguiente: en una sartén se ponen ocho cucharadas de aceite y cuando estén muy calientes se echan tres cucharadas de harina, se revuelve rápidamente hasta que la masa quede suelta y dorada en forma de migas. Estas migas se echan sobre la pasta, se rocía con aceite, se añade un poco de sal y se mete la coca en el horno hasta que esté cocida y muy doradita.

293. Triguillo

Ingredientes para 4 personas:
1/2 kilo de trigo picado
100 gramos de judías rojas
2 pencas [1]
3 acelgas
2 nabos
300 gramos de oreja, rabo y pata de cerdo
1 tacita de aceite
agua
sal.

En una olla al fuego pondremos en crudo, judías (remojadas), trigo, verduras y carne. Con agua fría y sal.

Cuando todo esté cocido le añadiremos la tacita de aceite caliente, dejándole cocer, a fuego lento, unos 45/50 minutos más.

Del «Triguillo», plato típico de la Cocina Levantina, dice el refrán popular:

«Mi madre me ha hecho triguillo
con alubias colorás,
penquicas de la laguna
y nabicos del pinar».

---

[1] Parte blanca de la acelga.

294. «Pilotes de Nadal de Dacsa»

Ingredientes para 4 personas:
1/4 kilo de harina de maíz
125 gramos de tocino
2 cucharadas soperas de manteca
1 huevo
ramitas de perejil fresco
1 cucharada sopera de pimentón rojo dulce
hojas de col para liarlas
sal.

Generalmente en muchas casas el día que se prepara la «olla», se hacen también los «pilotes» de maíz. Se llaman «Pilotes de Dacsa», «faseures de Dacsa», «fasegures» y «faseuras de panís».

Echaremos todos los ingredientes en un pote hondo, procediendo a su amasado. Prepararemos los «pilotes», de forma ovalada y que sean algo mayores que un huevo de gallina, envolviéndolos en hojas de col.

Finalmente los añadiremos a la olla, aproximadamente una media hora antes de retirar ésta del fuego.

Podemos agregar también un poco de harina y unas patatas hervidas, chafadas, así como pan (puesto previamente en remojo).

295. «Farinetes» con longaniza

Ingredientes para 4 personas:
200 gramos de longaniza
250 gramos de harina
3 cucharadas soperas, de aceite
3 dientes de ajo
agua
sal.

La longaniza la rehogaremos en una sartén al fuego con el aceite a la vez que los ajos, cuando esté frita echaremos agua y, conforme va hirviendo, le iremos agregando la harina, removiendo bien el conjunto.

Aunque espese la seguiremos removiendo un rato, para que se cueza mejor, echaremos sal y pasados 10 minutos ya las podemos retirar del fuego y servir.

296. «Caragols»[1] en salsa

Ingredientes para 4 personas:
8 docenas de caracoles
1 cebolla
hinojo
1 huevo
6 cucharadas soperas de aceite
sal.

Rehogaremos la cebolla picada en una cazuela al fuego, añadiéndole un poco de «fenoll» (hinojo).

Los caracoles, previamente limpios y cocidos, los incorporaremos a la cazuela echándoles seguidamente sal (podemos añadir un poco de picante).

---

[1] De caracoles existen muchas clases en la región Levantina. Tenemos los «avellaneces» que son pequeños; los «cristianos» y los «moros» y las «vaquetes» o «xonetes».

A continuación batiremos el huevo y lo verteremos sobre el guiso, retirando rápidamente la cazuela del fuego.

Recomendamos que los caracoles sean de la clase «xonetes» ya que tienen mejor sabor que otras especies.

297. Caracoles a la alcoyana

Ingredientes para 4 personas:
2 kilos de caracoles
1 cebolla grande
4 dientes de ajo
50 gramos de tocino de jamón
aceite
un poco de salsa de tomate
1 hoja de laurel
perejil fresco
un poco de pimienta blanca en polvo
1 pellizco de sal, agua
hierbas aromáticas [1].

Una vez limpios los caracoles, los escaldaremos durante unos minutos en abundante agua hirviendo. Echaremos aparte bastante aceite en una cazuela de barro y, a continuación, incorporaremos la cebolla, los ajos y el perejil picados, la salsa de tomate, el tocino de jamón cortado en trozos y las hierbas aromáticas, así como los caracoles. Mezclaremos bien todos los ingredientes y, por último, verteremos un poco de agua o caldo, dejándolo hervir todo ello durante 30 minutos y sirviéndolo a continuación a la mesa.

---

[1] Laurel, tomillo y perejil o perifollo.

298. Pasteles de carne de Alcoy

Ingredientes para 4 personas:
Ingredientes para el relleno:
1/2 kilo de carne de ternera
1/2 kilo de lomo o magro de cerdo que tenga poca grasa
1/4 kilo de piñones
1 cucharada sopera de perejil fresco picado muy fino
la punta de una cucharilla de las de café, de clavillos reducidos a polvo
1 corteza de limón, agua, sal.

Picaremos menudamente la carne y la pondremos a hervir con la corteza del limón, sal y 5 vasos de agua. Cuando el agua se haya evaporado por completo y quede la carne seca, retiraremos la corteza del limón y añadiremos cinco cucharadas soperas de manteca de cerdo derretida, 750 gramos de azúcar y 30 gramos de canela en polvo, dejándolo dar unos hervores y retirándolo del fuego.

Mezclaremos todo bien y con el rodillo de madera haremos unos redondeles de unos 30 centímetros de diámetro, dividendo la masa convenientemente para que resulten 14 redondeles del tamaño indicado. Colocaremos uno sobre otro, interponiendo entre cada uno de ellos una cucharada de

Ingredientes para la pasta:
12 yemas de huevo
12 medias cáscaras de huevo
llenas de agua
600 gramos de azúcar
harina (en la cantidad que admita).

manteca de cerdo derretida. Arrollaremos la torta resultante sobre sí misma como un cilindro grueso, y en esta forma la dejaremos reposar durante 3 horas, tapándola con un paño fino.

Cortaremos en rebanadas de un dedo de grosor esta masa así arrollada, extendiendo con el rodillo cada rebanada y haciendo redondeles de unos 15 centímetros de diámetro; en medio de cada uno de ellos pondremos una cantidad del relleno preparado, doblaremos en redondel, humedeceremos los bordes con una gota de agua y los pegaremos para que quede bien aprisionado el relleno. Colocaremos todos los pasteles en un placa ligeramente untada con manteca de cerdo y los meteremos en el horno hasta que tengan un bonito color dorado.

Se servirán calientes. Si se desea recalentarlos, envolver en un papel blanco y meter de nuevo durante un momento en el horno.

En invierno y en lugar fresco pueden conservarse hasta un mes.

299. Empanadillas valencianas

Ingredientes para 4 personas:
Ingredientes para la masa:
1 tacita de aceite
1 tacita de agua
sal
harina
anís.
Ingredientes para el relleno:
1 lata pequeña de atún en aceite
1/4 kilo de tomate.

Pondremos en una fuente el aceite, el agua templada con sal y un chorrito de anís, batiéndolo bien hasta que se una todo añadiendo entonces la harina; seguiremos batiendo hasta lograr formar una masa que luego se trabajará bien sobre el mármol hasta lograr una pasta fina que taparemos con un paño y dejaremos reposar durante media hora.

Pelaremos y limpiaremos los tomates preparando con ellos una salsa espesa, a la que añadiremos el atún, que puede ser en aceite o también en escabeche. Escurriremos todo y perfectamente mezclado, iremos rellenando las empanadillas, que se formarán extendiendo la masa con el rodillo, cortando una tira, y rellenando y cortando con el cortapastas. En caso de no tener cortapastas, se pueden aplastar los bordes con un tenedor.

Estas empanadillas tanto se pueden freír en aceite como cocerlas en el horno.

300. Empanadillas de patata

Ingredientes para 4 personas:
600 gramos de patatas
agua
sal
manteca de cerdo
1 vasito de leche
harina
relleno al gusto [1]
aceite.

Coceremos en agua y sal las patatas peladas y las machacaremos hasta hacerlas puré, mezclándolas con dos cucharadas de manteca (o aceite frito) y la leche, añadiendo la harina necesaria hasta formar una masa que no se pegue a las manos y se extienda fácilmente con el rodillo, la estiraremos dejándola muy fina y cortándola y rellenándola las freiremos en abundante aceite caliente.

[1] El relleno puede ser de carne o pescado, o bien atún o huevos duros, todo bien picado, a veces se añaden pimientos de lata picados y cebolla frita.

301. Buñuelos de bacalao

Ingredientes para 4 personas:
300 gramos de bacalao ya remojado
500 gramos de patatas
2 huevos
2 dientes de ajo
100 gramos de harina
1/2 cucharadita de levadura en polvo
1/2 litro de aceite
pimienta blanca en polvo
nuez moscada.

Haremos un puré con las patatas cocidas, mezclándolo con el bacalao, desmigado, añadiendo luego la harina, dos yemas de huevo, dos claras levantadas a punto de nieve, la cucharadita de levadura en polvo y un poco de cebolla, perejil y ajo, muy picado, sazonando con pimienta y nuez moscada.

Pondremos una sartén sobre el fuego, con el aceite y, cuando esté caliente, verteremos en ella unas cucharadas del preparado anterior (separadas unas de otras o incorporándolas a intervalos), con cada una de las cuales se formará un buñuelo. Los freiremos hasta que adquieran un color doradito. Repetiremos la operación hasta concluir la masa y los serviremos muy calientes.

302. Buñuelos de pescadilla

Ingredientes para 4 personas:
1/2 kilo de pescadilla
150 gramos de harina
1 cucharadita de café, de aceite
1 clara de huevo
1 botella pequeña de cerveza
aceite, sal.

Cortaremos la pescadilla a trozos finos y los echaremos sal, reservándolos en un plato.

La harina, el aceite y sal los batiremos bien añadiendo cerveza hasta que se forme una masa líquida pastosa, a la que se añade la clara de huevo batida y en ella se van rebozando los trozos de pescadilla que se fríen a modo de buñuelos.

303. Canapés de marisco

Ingredientes para 4 personas:
1/2 kilo de mejillones
3 huevos
perejil fresco
1 diente de ajo
20 gramos de jamón
2 vasos de agua, de leche
nuez moscada
2 cucharadas soperas de pan
rallado
2 vasos de agua, de aceite
1 cebolla
1 zanahoria
1 copita de coñac
1 vasito de vino blanco
1 cucharilla de café, de fécula de
patata
1 tomate grande
guindilla
agua
sal.

Limpiaremos bien los mejillones y los coceremos tapados en una cazuela, a poco fuego, durante unos cinco minutos solamente, para que se abran.

Batiremos en un plato (igual que para hacer una tortilla) los huevos, una cucharilla de perejil picado, un poco de ajo picado, el jamón picado también, y las dos cucharadas de pan rallado previamente remojadas en la mitad de leche.

Emparedados: Pondremos en un molde 1/2 vasito de aceite caliente, vertiendo en él los ingredientes últimamente mencionados e introduciéndolo en el horno, donde estará hasta que quede cuajado. Le daremos la vuelta después, sobre una fuente, donde se cortará en trozos triangulares. Sobre la mitad de los triángulos pondremos uno o dós mejillones desprovistos de su cáscara y untados con la salsa, cuya preparación indicamos a continuación, añadiendo encima la otra mitad de los triángulos y sujetando mediante un palillo, en el que previamente habremos ensartado una aceituna rellena, cortada.

Salsa: Doraremos en una sartén, con medio vasito de aceite, media cebolla y la zanahoria picadas, adicionando a continuación el tomate, también picado, cuando esté ya hecho, incorporaremos el jugo que desprendieron los mejillones, el coñac, quemado previamente, el vasito de vino blanco, un poco de nuez moscada rallada y un poco de guindilla. Coceremos el conjunto, pasándolo después y reduciéndolo. Añadiremos luego la cucharilla de fécula de patata, disuelta de antemano en un poco de agua, y sometiendo la salsa a un nuevo hervor de dos minutos ya la tendremos lista para utilizar.

El gazpacho, de la Cocina Levantina, no tiene nada que ver con el gazpacho de la Cocina Andaluza; sólo su nombre es el mismo, pero su preparación e ingredientes son, como puede apreciar el lector, totalmente distintos [1].

La gran riqueza de la Cocina Levantina y sus pintorescas preparaciones hacen gala, aquí en el gazpacho, de toda su exquisita gama de colores y sabores.

---

[1] Recordemos el libro: Cocina Andaluza, de esta misma colección y de la misma autora.

304. Gazpacho ibérico

Ingredientes para 8 personas:
1 conejo
1 perdiz
1 palomo
1/4 de pollo
1/2 litro de aceite
1 tomate
1 cabeza de ajo
azafrán hebra
un puñado de torta [1] por persona
agua
sal.

Prepararemos la perdiz, el conejo y el palomo cortándolos a cuartos y les daremos sal, junto con el pollo. Echaremos aceite en una sartén, al fuego, y en ella doraremos todo añadiendo la cabeza de ajos.

Una vez rehogadas las carnes se colocarán en un puchero de barro junto con la mitad del aceite de su fritura y un poco de agua; dejaremos hervir el puchero poco a poco a fuego bajo.

En una sartén de las llamadas «gazpacheras» rehogaremos el tomate picado, una vez frito incorporaremos la torta muy desmenuzada y moviendo bien el conjunto adicionando parte del caldo del puchero de barro y echando el azafrán y la sal, este conjunto citado no parará de hervir durante 15 minutos procurando por todos los medios que la torta no se pegue al fondo de la satén lo que en valenciano se llama «azurrunarse» que es igual a apelotonarse.

Cuando la torta esté bien embebida de caldo procederemos a darle la vuelta como se hace con una tortilla de patatas.

Serviremos este gazpacho en dos etapas: primero la torta y las carnes de las aves como segundo plato.

---

[1] La torta no es otra cosa que una especie de pan, plano, hecho con masa de pan (en algunos casos es medio-hojaldre, pero son los menos) y que se cuece, después de amasada con aceite, en horno de panadero o bien se compra ya hecha.

305. Gazpacho con pollo y conejo

Ingredientes para 4 personas:
1 torta [1]
1 pollo
1 conejo
2 pichones laudinos (de tiro)
4 tortas individuales
2 tomates
1/4 litro de aceite
pimienta negra en polvo
agua
caldo de carne
sal.

Limpios el pollo y los pichones se cortarán a trozos, así como el conejo. Rehogaremos todo en aceite caliente y los quitaremos los huesos más grandes.

Desmenuzaremos la torta dándole un rehogo al que se añadirán los tomates y la carne de las aves, un poco de caldo, pimienta y sal uniendo todo perfectamente y sirviéndolo sobre pequeñas tortas individuales.

---

[1] Ver nota de la receta de «Gazpacho ibérico».

306. Gazpacho de morcillas y salchichas

Ingredientes para 4 personas:
1/2 kilo de conejo
1/2 kilo de pollo
1 pimiento rojo
1/4 kilo de salchichas
1/2 kilo de morcillas de cebolla
1 higadillo de pollo
1 tomate
1 cebolla
4 docenas de caracoles
1 clavillo de especia
pimienta negra en polvo
agua
1/4 litro de aceite
1 torta [1]
sal.

Herviremos en una olla, al fuego, la carne de pollo y el higadillo. Desmenuzaremos la torta en pedacitos.

En una sartén con aceite rehogaremos el pimiento, el tomate, la cebolla picada y le iremos añadiendo las morcillas y las salchichas, todo debe rehogarse perfectamente.

Colocaremos una sartén «gazpachera» al fuego con aceite y le iremos echando los pedacitos de torta, le daremos vueltas agregando un poco del caldo de cocer el pollo y el higadillo, así como los caracoles muy limpios, pimienta, el clavillo y sal, dejándolo hacer 15/20 minutos. Para servirlo pondremos una fuente con las carnes y el pimiento y, a continuación, los gazpachos.

---

[1] Ver nota de la receta de «Gazpacho ibérico».

307. Gazpacho de pescado y marisco

Ingredientes para 4 personas:
1 1/2 kilos de torta [1]

Herviremos la morralla, con sal, durante una hora, pasándola seguidamente por un colador y reservándola caliente.

200 gramos de langostinos
200 gramos de gambas blancas
200 gramos de cigalas
1 kilo de rape
1 kilo de mero
1 kilo de gallina de mar
1 kilo de moralla
3 huevos cocidos
1/2 litro de aceite
1/2 kilo de cebollas
1/2 kilo de tomates
1 cabeza de ajo
2 ñoras [2]
1 hoja de laurel
pimienta blanca en polvo
perejil fresco
azafrán
jengibre
algas
virgen-mar
hierbabuena
agua
sal.

En una sartén al fuego con aceite, freiremos la cebolla, con los dientes de ajo, pelados y majados con una hoja de laurel. Una vez dorada la cebolla, le agregaremos el tomate, muy picado, dejándolos freír unos instantes.

Los langostinos, las gambas y las cigalas, las coceremos en un poco de agua, sin sal, incorporando después el rape; a los 10 minutos el mero y a los 15, la gallina de mar.

El pescado se retira a una fuente, quitándole las espinas; el marisco lo pelaremos.

Al caldo del pescado le añadiremos el de la morralla, probando de sal y agregando todas las especias y hierbas, lo dejaremos a fuego lento, sin que deje de hervir. Le incorporaremos el frito de cebolla que hemos preparado con anterioridad.

Taparemos el recipiente dejándolo cocer 45 minutos.

Añadiremos a la torta, por encima, el pescado y también el marisco, dejando todo a fuego lento 30 minutos, agregando la ñora frita majada con un diente de ajo.

Este gazpacho se sirve en cazuelitas de barro, adornándolo con un huevo duro picado y perejil, para que resulte así más decorativo.

----

[1]   Ver nota de la receta de «Gazpacho ibérico».
[2]   Pimiento seco.

308.   Jamón con tomate

Ingredientes para 4 personas:
200 gramos de jamón
1 vaso de leche fría
1/4 litro de salsa de tomate
aceite, caldo de carne.

Desalaremos el jamón en la leche, friéndolo ligeramente y dejándolo en una cacerola con la salsa de tomate, que hervirá, a fuego lento, hasta que el tomate esté bastante concentrado, añadiéndole antes de servirlo un poco de caldo sin sal.

309.   Revuelto de jamón con arroz

Ingredientes para 4 personas:
8 lonchas de jamón de York

Herviremos el arroz en abundante agua salada condimentada con mantequilla; una vez hecho lo dejaremos

200 gramos de arroz
100 gramos de requesón
1 limón
agua
1/2 pimiento rojo
8 aceitunas negras
8 aceitunas verdes
perejil fresco
50 gramos de mantequilla
1/2 vasito de gelatina.

enfriar. Prepararemos 250 gramos de gelatina y la dejaremos enfriar. Cuando esté frío el arroz le uniremos 80 gramos de requesón y el jugo de 1/2 limón, mezclando bien y poniéndolo sobre cada rodaja de jamón. Enrollaremos las rodajas que dejaremos sobre una fuente rectangular. Bañaremos los envoltorios de jamón con un poco de gelatina y meteremos la fuente en el frigorífico durante 10 minutos. Decoraremos con perejil, rodajitas de aceitunas y pedacitos de pimiento. Verteremos sobre todo ello otro poco de gelatina y que se enfríe en el frigorífico otros 10 minutos más.

Terminaremos la decoración poniéndole por encima más requesón.

310. Entremeses de arroz

Ingredientes para 4 personas:
200 gramos de arroz
400 gramos de carne de vaca
50 gramos de mantequilla
un poco de harina
1 vasito de vino blanco seco
1 tomate
1 pimiento en vinagre
1 pepino en vinagre
150 gramos de guisantes cocidos
4 cucharadas soperas de aceite
pimienta blanca en polvo
agua, sal.

Coceremos el arroz con sal y pimienta durante 15 minutos, lo extenderemos en una placa y le echaremos aceite. Cortaremos la carne en dados pequeños pasándolos por harina y dándoles una vuelta en la mantequilla, les echaremos sal, pimienta y el vino blanco dejándoles hacer poco a poco.

Cortaremos el tomate, el pimiento y el pepinillo en rodajas. Verteremos en una fuente grande el arroz, la carne, las verduras, mezclándolo bien y lo meteremos en el frigorífico hasta el momento de servirlo a la mesa.

311. Tostaditas valencianas

Ingredientes para 4 personas:
12 rebanadas iguales de pan
100 gramos de mantequilla
2 cucharadas soperas de mostaza
12 sardinas en aceite
2 pimientos rojos de lata.

Tostaremos las rebanaditas de pan y las untaremos de mantequilla, unida a un poquito de mostaza, colocando encima una sardina en aceite, sin espina, y cruzando dos tiras de pimiento rojo en lata. Aplastaremos un poco con la pala y las calentaremos ligeramente en el horno (cuando no se disponga de horno, se ponen en una tapadera de lata sobre las ascuas de carbón de encina).

312. Tortillas rellenas de salchichas

Ingredientes para 4 personas:

2 huevos
4 cucharadas soperas de harina
1 vaso de agua, de leche
50 gramos de manteca de cerdo
8 salchichas
salsa de tomate [1]
un poco de agua
sal.

Mezclaremos la harina con la leche, fría, y lo uniremos bien añadiendo los huevos muy batidos y sal, formando con todo ello una pasta homogénea. En una sartén mediana al fuego y con un poco de manteca echaremos cucharadas de la pasta, que llenen el fondo de la sartén y sacudiendo la masa así que la veamos cuaja volcándola después a un plato. Haremos 8 tortillas iguales.

Pondremos a cocer las salchichas en un par de cucharadas de agua dejando que ésta se evapore y así se fríen en su propia grasa, después las pondremos en las tortillas (una en cada una de ellas) y arrollando la tortilla la colocaremos en una fuente, cubriendo todas, con la salsa de tomate caliente.

---

[1]   Puede ser hecha en casa o bien comprada ya preparada.

313. Pudin de salchichas y patatas

Ingredientes para 4 personas:

1 kilo de patatas
1 vasito de leche
500 gramos de salchichas
5 huevos
aceite
1 cucharada sopera de manteca
50 gramos de jamón
agua
sal.

Coceremos las patatas (de tamaño regular), las pelaremos y pasaremos por el pasapuré, añadiendo la leche y revolviendo mucho; le mezclaremos la carne que se saque del medio kilo de salchichas, añadiendo un huevo batido, revolviéndolo bien y poniéndolo en un molde untado de manteca, cociéndolo al baño María una media hora. Retirado del molde lo adornaremos por encima con unas tiritas de jamón en forma de estrella y lo serviremos rodeado de 4 huevos fritos.

314. Salchichas con col

Ingredientes para 4 personas:

1 col de hojas anchas
8 salchichas
aceite

Escogeremos una col rizada, pequeña, separándola en hojas y las daremos un hervor en agua y sal de unos 10 minutos. Cocidas las escurriremos en un colador, colocando en cada hoja una salchicha, envolviéndola y atándola con un

100 gramos de harina
1 cebolla
1 vasito de vino blanco seco
agua
sal
pan frito.

hilo de algodón. Después las rebozaremos en harina, friéndolas ligeramente en un poco de aceite y colocándolas en una cacerola sobre unas ruedas finas de cebolla. Echaremos el vasito de vino blanco y otro de agua, o lo preciso para cubrirlo, dejando la cacerola tapada que hierva hasta que esté cocida y casi deshecha. Retiraremos los hilos y las serviremos acompañándolas de cuadraditos o triángulos de pan frito.

315. Salchichas a la levantina

Ingredientes para 4 personas:
500 gramos de salchichas
8 pimientos frescos
1 diente de ajo
1 vaso de vino blanco
perejil
aceite
pimienta negra en polvo
sal.

Echaremos aceite en una tartera puesta al fuego y freiremos en ella el diente de ajo que luego retiraremos, a continuación, incorporaremos las salchichas, pinchándolas con un alfiler por distintos sitios para que no se revienten. Las salchichas han de quedar bien colocadas unas al lado de las otras. Regaremos con el vino blanco y las meteremos en el horno hasta que estén fritas y jugosas.

Asaremos aparte los pimientos, quitándoles la piel y eliminando el corazón y las semillas, los cortaremos a tiras anchas, les rociaremos con aceite, sal y pimienta negra en polvo, acompañaremos con ellos las salchichas.

316. Ancas de rana albufereña

Ingredientes para 4 personas:
8 docenas de ranas
1 vaso de agua de aceite
1 cebolla grande
perejil fresco
100 gramos de pan rallado
2 huevos
pimienta blanca en polvo
sal.

Una vez separados los muslos (ancas) del cuerpo de las ranas, las pondremos a macerar durante media hora en una marinada compuesta por un decilitro de vino blanco, una brizna de tomillo, una cucharada sopera de aceite, dos ramitas de perejil, un diente de ajo machacado, un limón (el zumo), dos granos de pimienta y sal.

Prepararemos una sartén al fuego con un poco de aceite y la cebolla, que se habrá picado, junto con las ramas de perejil, sazonaremos y freiremos, retirando las ancas de la marinada, echándolas sal y pimienta, de una en una, y pasándolas por el huevo, que se habrá batido ligeramente, después por el pan rallado, friéndolas en otra sartén con el resto del aceite.

La Albufera de Valencia cuenta con ranas muy apreciadas por los buenos «gourmets». A las personas que se dedican a su pesca o captura se las conoce como los «granotaires» (raneros).

317.   Guisado de ranas con ñora

Ingredientes para 4 personas:

18 ranas
1 kilo de patatas
1 tomate
1 ñora¹
50 gramos de piñones
1 cabeza de ajo
perejil fresco
1 vaso de aceite
agua
sal.

Las ranas las tendremos ya limpias y peladas, las lavaremos y pondremos en una cazuela de porcelana o de barro, con un poco de agua, que las cubra, colocando la cazuela sobre el fuego.

Seguidamente, incorporaremos las patatas peladas y cortadas a rodajas, el perejil y el ajo trinchado, los piñones y aceite crudo, añadiendo también la ñora y el tomate, enteros, y sal.

Lo dejaremos hervir y cuando todo esté cocido, retiraremos la ñora y el tomate, majándolos en un mortero con sal y un poco de caldo de la cazuela. Este majado, lo incorporaremos de nuevo a las ranas dejándolas sobre el fuego hasta que, tanto las patatas como las ranas, estén tiernas.

---

¹   Pimiento seco.

318.   Macarrones al estilo de Levante

Ingredientes para 4 personas:
500 gramos de macarrones
2 tazas de desayuno de salsa be-
chamel
1 taza de desayuno de salsa de
tomate
2 clases de queso rallado
150 gramos de mantequilla
agua
sal.

Coceremos los macarrones en abundante agua y sal y, bien escurridos, los repartiremos en dos cacerolas, la mitad en cada una de ellas. Prepararemos de antemano dos salsas, una de tomate y otra de bechamel, bien espesas, y las echaremos en las cacerolas de macarrones; una de ellas con la bechamel, la otra con la salsa de tomate; añadiremos a una queso de Gruyére rallado y la otra queso de Parma rallado. Cubriremos con bastante mantequilla los macarrones, que estarán en una fuente larga, colocándolos a lo largo, de manera que formen dos colores: el blanco de la bechamel y el rojo de la salsa de tomate. Tostar al horno.

Deben estar muy calientes a la hora de servirlos a la mesa.

Capítulo XII

POSTRES Y BEBIDAS

POSTRES

319. Turrón de guirlache	344. Crema de naranja
320. Turrón de yema	345. Arroz con leche
321. Turrón de mazapán	346. Arroz dulce
322. Turrón de crema	347. Flan de naranjas
323. Turrón de Alicante	348. Almendrados de Alicante
324. Turrón de almendras	349. Monas de Pascua
325. Coca María	350. Dátiles cocidos
326. Tostadas de Alcoy	351. Naranjas acarameladas
327. Bollos de San Blas	352. Naranjas en mermelada
328. «Paquet del sel»	353. Mermelada de naranjas helada
329. Torta de naranja	354. Postre de naranjas
330. Tortas de calabaza con miel	355. Pasteles de boniatos
331. Buñuelos a la valenciana	356. Melón al ron
332. Buñuelos caseros	357. Almojábanas
333. Buñuelos de crema	
334. «Toñas»	## BEBIDAS
335. «Sopada» aspense	
336. Donas	358. Licor de naranja
337. Rollitos	359. Sustancia de arroz
338. «Pastix de ametla»	360. Café al «soldado»
339. Bizcocho de naranja	361. «Aigua de civada»
340. Crema de arroz con leche	362. «El pixer»
341. Crema de arroz helada	363. Horchata de chufas
342. Crema de arroz a la Condé	364. Jarabe de horchata de almendras
343. Crema de sémola	365. Leche de naranja o limón

La importancia del turrón en la Cocina Levantina
Un poco de historia.

El turrón nos llegó a España de los árabes, pero fue aquí, sin duda alguna, donde se hizo el turrón como es hoy día. Alicante y Jijona fabricaron, vendieron y exportaron desde los tiempos más remotos de la Historia.

En la época de Carlos V, cuando éste ofrecía una cena a sus embajadores les obsequiaba con turrón a la hora de los postres. Ello ocurría en el siglo XVI.

Después, Felipe II y Felipe III (ya en el siglo XVII) inician sus reinados con un período muy pródigo en la fabricación de turrones.

El propio rey Felipe III escribía al Virrey de Valencia desde Aranjuez, «que considera que deben repartirse más dulces y más turrón entre los pobres de la ciudad para celebrar la Natividad de Nuestro Señor Jesucristo».

En la literatura vemos que existe una «Historia del turrón y Prioridad de los de Jijona y Alicante» escrito por el insigne historiador y poeta don Francisco Figueras Pacheco, presidente que fue de la sección de Historia, Arte y Arqueología del Instituto de Estudios Alicantinos.

En el Archivo Municipal del Ayuntamiento de Alicante se conserva una crónica debida al Deán Benedicho, en la que se lee: «fabricado el turrón sólo con miel y almendras, parecen sus trozos jaspes blancos».

Ya que la base del turrón es la miel y las almendras, tanto en las tierras de Alicante capital, como las de su provincia, son ricas en almendros y en colmenas, así Villena, Alcoy, Jijona, Tibi, y muchas más, son abundantes en la producción de la miel.

La almendra es un fruto típico del litoral mediterráneo y sus almendras son las primeras, en calidad, de la Península.

En Jijona, en el siglo XVIII ya se fabricaba el turrón que salía de allí camino de los pueblos a la capital del Reino.

Llegó a ser tanta la demanda que no había suficiente miel para poder hacer el turrón, y los fabricantes se vieron obligados a recurrir al azúcar que traían desde La Habana en grandes cantidades.

«Recetas de diversas clases de turrón».

No ha sido fácil poder llegar a sacar recetas concretas y prácticas de turrón, ya que los libros y manuscritos consultados son, a veces, casi ininteligibles. Así como el turrón, en cuanto a producto industrializado esta muy extendido en Levante, la receta «casera» es mucho más difícil de encontrar, no obstante ofrecemos algunas fórmulas no muy difíciles de hacer.

319. Turrón de guirlache

Ingredientes para 2 personas:
500 gramos de azúcar
50 gramos de almendra tostada
100 gramos de manteca de cerdo
aceite.

Pondremos en un recipiente, a fuego lento, el azúcar y la manteca. Cuando el azúcar esté líquida agregaremos la almendra picada, revolviéndolo todo bien. Seguidamente verteremos el guirlache sobre un mármol ligeramente untado de aceite, aplanándolo con el rollo hasta dejarlo del grosor que se desee.

Antes de que se enfríe, lo cortaremos en tiras de 10 centímetros de largo y dos de ancho.

320. Turrón de yema

Ingredientes para 4 personas:
800 gramos de azúcar
2 gramos de crémor tártaro
1 limón
6 yemas de huevo
25 gramos de almendras amargas
unas gotas de aceite de almendras dulces
agua.

Escaldaremos y mondaremos las almendras dejándolas al aire durante un par de horas y pasándolas por la máquina de rallar, de modo que obtengamos una pasta fina. Durante esta operación se irán rociando con unas gotas de agua fría para evitar que la pasta salga aceitosa.

Pondremos en un cazo 750 gramos de azúcar, un cuarto de litro de agua y el crémor tártaro. Coceremos todo hasta obtener un almíbar a punto de bola fuerte, lo que se conocerá si, al poner unas gotas de dicho almíbar en agua fría, al tomarlas con los dedos se forma una bola dura. Añadiremos las almendras molidas al almíbar y mezclaremos con una espátula de madera, dejándolo cocer a fuego lento, hasta que la pasta se despegue del fondo. Seguidamente la apartaremos del fuego. Pasados unos cinco minutos, incorporaremos las yemas de huevo, uniéndolo bien y volviendo a colocar el cazo de nuevo a fuego lento. Seguiremos revolviendo hasta lograr una pasta consistente, que echaremos en un molde forrado con papel blanco, untado éste de aceite de almendras dulces. Cubriremos el molde con una madera que ajuste, prensándolo y poniéndole encima algo de peso (dos kilos, aproximadamente) y cuando esté bien frío lo desmoldaremos y espolvorearemos con el azúcar restante, el cual quemaremos con una pala de hierro candente.

321. Turrón de mazapán

Ingredientes para 4 personas:

1 kilo de almendras
1 kilo de azúcar
2 gramos de crémor tártaro
1 limón
un poco de aceite de almendras.

Escaldadas las almendras las mondaremos colocándolas en un sitio que las toque el aire por espacio de cuatro días, luego las pasaremos por una máquina de moler de modo que resulte una harina fina.

Pondremos al fuego el azúcar y el crémor, cociéndolos hasta obtener un jarabe a punto de hilo o hebra, lo que se conoce si al mojar una cuchara en dicho azúcar y al cogerla con los dedos se forman unos hilos; seguidamente agregaremos las almendras y un poco de corteza de limón rallada; mezclando bien y llenando los moldes que se tendran ligeramente untados de aceite de almendras dulces. Prensaremos con una madera que encaje en el molde y pasadas unas dos o tres horas lo desmoldaremos, sirviéndolo a la mesa.

322. Turrón de crema

Ingredientes para 4 personas:

700 gramos de azúcar
500 gramos de almendras crudas
2 huevos
50 gramos de glucosa
100 gramos de naranja confitada
3 cucharadas soperas de leche condensada
1 limón
1 poco de aceite de almendras dulces.

Escaldaremos las almendras y las pelaremos pasándolas dos o tres veces por una máquina de rallar o de trinchar, de modo que resulte una pasta fina que echaremos en un cazo.

Pondremos al fuego 600 gramos de azúcar, un cuarto de litro de agua y un poco de zumo de limón, cociendo hasta obtener un almíbar a punto de bola fuerte, que se conoce si al echar unas gotas de dicho almíbar en agua éstas toman un cuerpo consistente y se rompen como si fuera cristal; seguidamente, lo mezclaremos con las almendras, adicionando la leche condensada, la glucosa, la naranja trinchada muy fina y un poco de corteza de limón rallado, poniéndolo al fuego y removiéndolo con una espátula de madera hasta obtener una pasta bien fina y espesa. Ya en este punto lo echaremos en un molde, en forma de caja cuadrada, que tendremos untado con unas gotas de aceite de almendras, lo prensaremos con una madera y dejaremos así un par de horas, retirándolo del molde le espolvorearemos el resto del azúcar, que también se puede quemar después con la paleta al rojo vivo.

323. Turrón de Alicante

Ingredientes para 4 personas:

600 gramos de miel de buena calidad

800 gramos de almendras tostadas

2 claras de huevo

300 gramos de azúcar en terrones

300 gramos de magnesia calcinada en polvo

1 copita de esencia de limón

1 copita de anís

obleas

agua

200 gramos de azúcar normal.

Pondremos al fuego un pote con la miel y cuando empiece a hervir lo retiraremos y espumaremos.

En una cacerola echaremos el azúcar normal y dos decilitros de agua, cociendo hasta obtener un jarabe a punto de bola flojo, lo cual se conoce si al dejar caer unas gotas en agua fría, al cogerlas con los dedos se forma una bolita floja; seguidamente, añadiremos la miel, y al arrancar el hervor, adicionaremos las claras de huevo, batidas a punto de nieve y la magnesia; siguiendo revolviendo con una espátula de madera, hasta que empiece a espesarse o tomar punto de caramelo, entonces se tiene que seguir revolviendo con fuerza, frotando bien el fondo de la cacerola para evitar que se pegue; luego le mezclaremos las almendras mondadas y trinchadas y el azúcar en terrones, que se tendrán guardados en sitio algo cálido; agregaremos unas gotas de esencia de limón y cuatro o cinco gotas de anís y después de hecha esta operación lo apartaremos del fuego, llenando los moldes que están preparados, forrado con obleas blancas, y lo prensamos con una madera que encaje en el molde. Pasadas dos/tres horas ya estará hecho.

324. Turrón de almendras [1]

Ingredientes para 4 personas:

500 gramos de almendras

300 gramos de miel

300 gramos de azúcar

300 gramos de cacahuetes

100 gramos de naranjas y toronjas confitadas

3 claras de huevo

2 limones

100 gramos de agua

pan de ángel.

Picaremos las frutas confitadas y tostaremos ligeramente las almendras y los cacahuetes. Echaremos la miel en un pote alto y coceremos al baño maría, una hora aproximadamente. Con el agua y el azúcar prepararemos un almíbar o jarabe. Batiremos las claras a punto de nieve fuerte, les añadiremos la miel poco a poco y siguiendo siempre batiendo después incorporaremos las avellanas y cacahuetes a trozos y las frutas confitadas así como corteza rallada de limón revolviendo todo perfectamente.

Cubriremos el fondo de un molde con el pan de ángel desparramando sobre él la masa obtenida (aún caliente) y taparemos con otra capa de pan de ángel prensando el turrón con un peso encima dos/tres horas, pasadas las cuales ya estará listo.

En sitio frío se puede conservar varios días.

---

[1]   Receta muy parecida a la anterior «Turrón de Alicante».

325.   Coca María

Ingredientes para 6 personas:
1 kilo de masa de pan [1]
2 huevos
1/2 kilo de azúcar
2 vasos de aceite fino
1 cucharilla de café, de bicarbonato
2 cucharadas soperas de manteca de cerdo.

Dejaremos la masa fresca de pan sobre el mármol y le iremos añadiendo el azúcar y el aceite manejándola con las manos para incorporarlos bien, después le echaremos los huevos bien batidos y el bicarbonato siempre amasándola bien para que quede muy ligada.

Untaremos una «llanda», lata, con la manteca y en ella depositaremos la pasta que haremos al horno hasta verla muy dorada.

Desmoldarla en frío.

---

[1]   La masa de pan se puede comprar en los hornos o panaderías.

326.   Tostadas de Alcoy

Ingredientes para 4 personas:
125 gramos de azúcar molida
125 gramos de almendras molidas
125 gramos de harina

Prepararemos cajitas de papel para cocer las tostadas. Si molemos las almendras en casa las pasaremos después de molidas.

Pondremos en un pote sobre el fuego mínimo que podamos las cuatro yemas de los huevos y el azúcar, batiendo con las varillas de alambre hasta que el preparado blanquee y, al caer, forme pliegues. Añadiremos las almendras molidas y rápidamente agregaremos las claras batidas a punto de nieve, moviéndolas despacio con la espátula.

Verteremos en cada cajita un poco del preparado que coceremos a horno moderado.

Una vez cocidas, las retiraremos de las cajitas y dejaremos enfriar, bañando las tostadas en almíbar y volviendo a meterlas durante tres minutos en el horno, cuidando mucho que no se doren.

327. Bollos de San Blas

Ingredientes para 8 personas:
1 kilo de harina de maíz
1 kilo de azúcar
1/2 kilo de almendras molidas
3/4 de litro de aceite
1 docena de huevos
1 cucharada sopera de canela en polvo
la raspadura de la piel de 2 limones
algo más de azúcar.

Batiremos los huevos como para tortilla los añadiremos el azúcar mezclando todo muy bien. Seguidamente agregaremos la raspadura de limón y la canela, y continuaremos batiendo.

Incorporaremos ahora la almendra, finalmente el aceite, poco a poco, y la harina de maíz hasta obtener una masa consistente.

Haremos los bollos del grosor de un dedo, colocándolos sobre papel untado en aceite los espolvorearemos con azúcar y canela, y los meteremos a horno moderado durante 20 minutos, procurando no tocarlos ni moverlos.

328. «Paquet del sel»

Ingredientes para 2 personas:
100 gramos de azúcar
4 huevos
100 gramos de galletas
100 gramos de frutas secas.

En una cazuela de barro, sobre fuego muy bajo, mezclaremos las yemas de los huevos con el azúcar batiendo sin parar hasta que el azúcar se haya desleído, entonces agregaremos las claras batidas a punto de nieve.

Colocaremos en una fuente las galletas (o trocitos de bizcochos) y echaremos por encima el batido adornándolo con las frutas secas; hay que comerlo enseguida porque baja el batido.

329. Torta de naranja

Ingredientes para la torta:
125 gramos de mantequilla

Batiremos la mantequilla sobre fuego muy bajo, añadiendo mientras batimos el azúcar hasta que quede todo

1/2 taza de desayuno bien medida de azúcar molida
2 yemas de huevo
2 claras de huevo
200 gramos de harina
1 taza de desayuno, escasa, de zumo de naranja
la ralladura de la piel amarilla de una naranja
2 cucharillas de café, de levadura en polvo
un poco más de harina.
Ingredientes para el baño y el relleno:
250 gramos de azúcar glass
el zumo de 3 naranjas
8 gajos de naranja acaramelados.
Ingredientes para el caramelo de los gajos:
100 gramos de azúcar en terrón
1 cucharada sopera de agua
1 cucharillu de café, de glucosa o vinagre.

convertido en una crema espesa, agregaremos una por una las dos yemas, batiendo siempre. Incorporaremos el jugo de la naranja mezclando con la cáscara rallada, después la harina, en forma de lluvia, sin dejar de batir. Finalmente, mezclaremos sin batir, o sea moviendo con una espátula las claras (batidas a punto de nieve) y, acto seguido, la levadura en polvo mezclándola con una cucharada de harina.

Untaremos con mantequilla y espolvorearemos de harina dos moldes redondos algo bajos, repartiendo en ellos la masa y haciéndolos cocer a horno suave durante 30 minutos, poco más o menos. Una vez cocidos, los retiraremos de los moldes dejándoles enfriar.

Para hacer el baño y el relleno pondremos el azúcar glass en un tazón y le agregaremos el zumo de naranja, poco a poco, hasta formar una mezcla algo espesa, batiéndola hasta que quede lisa. Extenderemos una capa de este baño sobre una de las tortas y colocaremos la otra torta sobre ella, cubriendo con el resto del baño, que dejaremos secar.

Luego de seco el baño, adornaremos con los gajos bañados en el caramelo, disponiéndolos en forma de rueda en medio de la torta.

Para hacer el caramelo, colocaremos en un pote el azúcar en terrón, el agua, la glucosa (o el vinagre), dejándolo hervir hasta que llegue a punto de caramelo; mojaremos en el los gajos uno por uno colocándolos sobre la torta ya lista, como queda dicho anteriormente.

330. Tortas de calabaza con miel

Ingredientes para 8 personas:
1 taza de desayuno de calabaza amarilla
1 taza de desayuno de leche
1 litro de aceite
1 kilo de azúcar
3 kilos de harina

Herviremos la calabaza, con el agua y la matalahuva. Escurrida la pasaremos por un tamiz. A ese caldo le añadiremos levadura y dejaremos fermentar poniéndola en un extremo de la artesa y, en el otro, la harina. En el centro, la calabaza, la leche, el aceite y los piñones, mezclando todo ello, adicionando, asimismo, el azúcar y dejándolo una hora hasta que fermente de nuevo.

3 sobrecitos de matalahuva
1/2 pastilla de levadura
150 gramos de piñones
2 vasos de agua
miel.

Seguidamente, se preparan las tortas, se acomodan en una «llanda», lata, se chafan con la mano y se les hacen unos cortes con las tijeras, dejándolas en reposo dos horas, transcurridas las cuales se meten en el horno.

Al servirlas, las bañaremos con miel y espolvorearemos con azúcar.

331.   Buñuelos a la valenciana

Ingredientes para 4 personas:
2 vasos de leche
1 tubo de vainilla en polvo
50 gramos de arroz
100 gramos de azúcar
2 yemas de huevo
pasta para freír
1/2 litro, acaso menos, de aceite.

Herviremos el arroz en la leche, con la vainilla, a medio cocer, le incorporaremos el azúcar. Ya cocido, lo retiraremos del fuego añadiendo las dos yemas de huevo, batiendo todo muy bien y retirando a una fuente para que se enfríe. Con una cuchara grande tomaremos la cantidad que se pueda, rebozándolo con la pasta (cuya preparación damos a continuación) y los freiremos en la sartén con aceite. Se sirven calientes.

La pasta: taza y 1/2 de leche, 4 cucharadas de harina y sal. Mezclar todo, agregar 2 cucharadas de azúcar y 4 claras de huevo batidas a punto de nieve.

Por separado prepararemos la siguiente pasta o masa de rebozar: en un plato hondo echaremos un vaso de leche, 70 gramos de harina y una pizca de sal, desliéndolo bien y añadiendo 70 gramos de azúcar y cuatro claras de huevo batidas a punto de nieve; mezclaremos todo y con esta masa rebozaremos los buñuelos como ya hemos indicado.

332.   Buñuelos caseros

Ingredientes para 4 personas:
200 gramos de harina
2 vasos de agua
1/2 cucharilla de café, de sal
1 cucharada sopera de azúcar

Mezclaremos la harina con el agua, la sal, la cucharada de azúcar, la de aceite y las claras levantadas a punto de nieve, hasta obtener una pasta.

Trabajaremos mucho la pasta elaborada, vertiéndola después en porciones en una sartén con aceite; cuando éste se halle hirviendo formando los buñuelos con ellas. El orificio central de los mismos se hará mediante la introducción, en el centro, de un palito, moviendo la masa en una misma dirección. Cuando el orificio tenga la anchura conveniente y el buñuelo se haya dorado, retirarlo de la sartén y dejarlo escurrir sobre una rejilla.

Servirlos cubiertos por miel blanca, o bien espolvoreados de azúcar glass.

333. Buñuelos de crema

En un recipiente al fuego pondremos el agua, la mantequilla y un poquito de sal. Cuando rompa a hervir le echaremos la harina mezclando todo bien con una cuchara de madera y retirándolo del fuego, le añadiremos los huevos, poco a poco, y por último, las dos claras, sin dejar de moverlo.

Aparte pondremos una sartén con aceite al fuego y cuando esté caliente iremos echando esta pasta, con una cucharilla.

Una vez los buñuelos están fritos, los dejaremos enfriar, y les daremos un corte y rellenándolos con la crema pastelera. Se puede servir con azúcar glass por encima.

---

[1]   La crema pastelera se hace con yemas, azúcar y leche; también venden sobres de polvos para hacer crema que quedan bastante bien.

334.   «Toñas»

Empezaremos por preparar la levadura con un poco de harina y agua tibia, después la mezclaremos con la masa de levadura dejándolas que ambas fermenten.

En un pote hondo depositaremos esta levadura, los huevos, la harina, el aceite, el azúcar y la ralladura de limón,

300 gramos de levadura de pastilla
300 gramos de masa de levadura
1 litro de aceite
ralladura de la piel de 1 limón.

trabajando continuamente hasta lograr una masa uniforme que dejaremos fermentar de dos a tres horas y después la amasaremos de nuevo.

Cuando la masa esté a punto, la cortaremos formando «toñas», que se depositan en papel de cristal. Se espera a que suban de nuevo y, finalmente, se pintan con huevo batido, se espolvorean de azúcar, y se meten en el horno.

335. «Sopada» aspense

Ingredientes para 4 personas:
1 litro de leche
8 yemas de huevo
1 cucharada sopera de flor de almidón
100 gramos de «lengüetas» [1]
3 cucharadas soperas de azúcar
1 cucharada sopera de canela en polvo.

Pondremos la leche a calentar en un recipiente, apartando un poco en una taza, que nos servirá para desleír la flor de almidón y las yemas. Al romper el hervor, le añadiremos el contenido de la taza y el azúcar, sin dejar de remover, para que no se hagan grumos, y dejándolo hervir unos instantes, lo apartaremos del calor.

Prepararemos las «lengüetas» en una fuente y, sobre ellas, verteremos la crema espolvoreándola con la canela en polvo.

---

[1]   Creemos que «lengüetas» se refiere a lenguas de gato de bizcocho.

336. Donas

Ingredientes para 4 personas:
1 vaso de leche
1 vaso de agua
la cáscara de 1 limón
1/2 cucharilla de café, de sal
1 cucharilla de café, de azúcar
50 gramos de mantequilla
100 gramos de harina
3 huevos, quizá 4
1/4 litro de aceite
más azúcar

Coceremos en un cacito, al fuego, la leche con el agua, la cáscara de limón y la sal, la cucharilla de azúcar y los 50 gramos de mantequilla, le adicionaremos cuando comience a hervir la harina y trabajaremos rápidamente el conjunto con una espátula de madera sobre fuego muy lento.

Añadiremos después huevo trabajándolo hasta que quede bien incorporado y repitiendo la misma operación con dos huevos más (o tres si son pequeños) y teniendo cuidado de no añadirlos hasta que el anterior esté bien unido a la masa. Si ésta resultase un poco fuerte, adicionaremos medio huevo más y los trabajaremos exactamente igual.

Meteremos la masa anterior en manga con boquilla rizada y trazaremos con ésta unas pequeñas rosquillas, sobre varios trozos de papel, untados con mantequilla.

Echaremos en una sartén al fuego, con abundante aceite y cuando éste se halle hirviendo, las rosquillas de papel, imprimiendo para ello a éste con la mano, un movimiento oscilatorio rápido para que se desprendan, friéndolas hasta que estén doradas y envolviéndolas después en azúcar.

Pueden comerse calientes o frías.

337.   Rollitos

Ingredientes para 4 personas:
6 tazas de desayuno de aceite
1/2 docena de huevos
1/2 kilo, acaso más, de harina
3 papelillos de gaseosa en polvo
efervescente.

Batiremos las claras de los huevos batidas a punto de nieve con los papelillos efervescentes, después de bien re movidas, añadiremos las yemas.

Batiremos todo muy bien agregando el aceite y el azúcar y siguiendo removiendo incorporaremos la harina, poco a poco, hasta lograr una masa normal. No debe quedar dura.

Seguidamente formaremos los rollos, que se espolvorean con azúcar, y se meten en el horno hasta que estén hechos.

338.   «Pastix de ametla»

Ingredientes para 4 personas:
1/4 de almendras molidas
1/4 kilo de azúcar
3 huevos
500 gramos de boniatos cocidos
y chafados o cabello de ángel.

Batiremos bien los huevos y les agregaremos la almendra molida y el azúcar uniendo bien hasta formar una masa con todo ello que podamos manejar con las manos. Formaremos unas tortillas pequeñas muy finas y sobre una de ellas pondremos la pasta de boniato o bien confitura de cabello de ángel colocando encima otra tortilla, a modo de pequeñas empanadas que meteremos a hacer al horno hasta ver que están doraditas. Son muy ricas.

339.   Bizcocho de naranja

Ingredientes para 4 personas:
100 gramos de harina
80 gramos de fécula de patata
(amasadas conjuntamente)
100 gramos de azúcar glass
125 gramos de mantequilla
180 gramos de corteza de naranja confitada
la corteza de una naranja natural rallada
2 vasitos de ron
3 huevos
un poco de aceite.

Ablandaremos la mantequilla y la dejaremos en una tarrina junto con el azúcar batiendo ambas cosas muy bien hasta reducirlas a una crema. Añadiremos los huevos, uno a uno, después incorporaremos la corteza confitada cortada a dados, la corteza rallada de la naranja y el ron, uniremos bien completando con las harinas y que todo esté a modo de una pasta cremosa.

Untaremos con aceite un molde de bordes altos, y verteremos en él la pasta, metiéndolo a horno regular por espacio de unos tres cuartos de hora.

Se sabrá si está hecho al pincharlo con una aguja de hacer punto, ésta debe salir seca sin adherencias de pasta.

Desmoldar en frío.

340.   Crema de arroz con leche

Ingredientes para 4 personas:
1 litro de leche
1 vasito más de leche
125 gramos de arroz
5 cucharadas soperas de azúcar
2 yemas de huevo.

Pondremos a hervir la leche en un pote al fuego y, cuando empiece a hervir echaremos el arroz, dejándolo 40 minutos a fuego lento y cinco minutos antes de que transcurran los 40 añadiremos el azúcar. Batiremos aparte las dos yemas de huevo con el vasito de leche fría.

341.   Crema de arroz helada

Ingredientes para 4 personas:
6 huevos
1 cucharada sopera de harina de arroz
125 gramos de azúcar en polvo
1 litro de leche.

Batiremos bien las yemas de los huevos frescos (reservando las claras) añadiendo la harina de arroz y el azúcar fino, batiremos todo muy bien y luego, adicionaremos la leche, poco a poco, sin dejar de mover. Lo pondremos al fuego en una cacerola (a fuego lento) dejándolo cocer 15 minutos, moviéndolo sin cesar con la cuchara de palo; luego lo apartaremos y que se enfríe. Batiremos por separado las seis claras y las montaremos a punto de nieve. Batiremos estas claras con la crema hasta formar una espuma que volcaremos en la heladera procediendo a mover la manivela hasta cuajar y endurecer la crema, luego la volcaremos en una fuente redonda o bien la distribuiremos en copas de cristal.

342. Crema de arroz a la Condé

Ingredientes para 4 personas:
300 gramos de arroz
agua
1 litro de leche
50 gramos de mantequilla
200 gramos de azúcar
6 yemas de huevo
1 varita o palo de vainilla
1 limón.

Herviremos en agua el arroz, durante tres minutos, luego lo escurriremos y volveremos a cocer durante media hora, en el litro de leche. Apartado de nuevo lo pondremos en el fuego, removiendo sin cesar hasta que el arroz forme una crema espesa y bastante firme, que aromatizaremos con la varita de vainilla (que se hierve con la leche) o bien se le echa la corteza del limón rallada.

343. Crema de sémola

Ingredientes para 4 personas:
200 gramos de sémola
200 gramos de azúcar
100 gramos de mantequilla
100 gramos de azúcar
4 huevos
1 litro de leche
1 palito de vainilla.

En una cazuela al fuego pondremos a hervir el litro de leche con el palito de vainilla; verteremos en forma de lluvia, sin cesar de remover, la sémola y el azúcar, dejándolo cocer, lentamente, algunos minutos.

Incorporaremos la mantequilla y el azúcar, prosiguiendo la cocción a fuego lento. Apartado del fuego le añadiremos tres yemas y un huevo entero, removiendo bien, adicionando, por último, las tres claras de huevo montadas a punto de nieve.

344. Crema de naranja

Ingredientes para 2 personas:
1/2 litro de leche
6 cucharadas soperas de azúcar

Batiremos las yemas y las claras con la leche y la mitad de la piel de la naranja rallada, uniendo bien hasta que todo esté espeso y bien mezclado.

2 yemas de huevos
4 claras de huevo
la piel de 1 naranja.

Lo echaremos después en una cazuela poniendo ésta sobre fuego lento agregándole el resto de la piel de la naranja, cortada en dos trozos y removiendo sin cesar, ¡ojo no se corte!

A los 20 minutos de cocción la pasaremos a una fuente, retiraremos la piel de naranja, y la pondremos en el frigorífico para que esté fría.

345. Arroz con leche

Ingredientes para 4 personas:
1 litro de leche
100 gramos de arroz
100 gramos de azúcar
corteza de limón y naranja
1 tubo de canela en polvo.

Pondremos al fuego en un recipiente la leche con la corteza de naranja y limón, cuando rompa a hervir echaremos el arroz y reduciremos el fuego dejándolo cocer 10 minutos. Añadiremos el azúcar, moviéndolo con la cuchara de madera y que cueza unos cinco minutos más.

Retirado del fuego lo echaremos en un bol de cristal o fuente, sirviéndolo frío a la mesa y con la canela en polvo por encima.

346. Arroz dulce

Ingredientes para 4 personas:
200 gramos de azúcar fino
100 gramos de arroz
70 gramos de uvas pasas
4 manzanas
2 huevos
agua
3/4 litro de leche.

Pelaremos las manzanas y las pondremos a cocer con abundante agua y a fuego fuerte, por espacio de cinco minutos. Las escurriremos. Calentaremos la leche y cuando empiece a hervir, echaremos el arroz dejándolo cocer a fuego suave, durante 20 minutos, removiendo a menudo, para que no se pegue. Retirado del fuego le adicionaremos 100 gramos de azúcar, las yemas de los huevos y las uvas, previamente bien lavadas con agua tibia y despepitadas. Mezclaremos bien y lo pondremos en una cacerola de vidrio refractario, cubriendo la superficie del arroz con las manzanas cortadas en rodajas, espolvoreándolas con 50 gramos de azúcar y meter al horno, ya caliente, en el que permanecerá durante 30 minutos.

Entre tanto, batiremos las claras a punto de nieve firme, incorporándoles el azúcar restante. Cuando hayan transcurrido los 30 minutos de cocción del pastel, retiraremos éste del horno (no apagarlo) y decoraremos la superficie con el merengue, previamente puesto en una manga pastelera con boquilla lisa, metiéndolo nuevamente al horno y dejándolo ahora seis/ocho minutos. Podemos servirlo caliente o frío, aunque es más rico frío.

347. Flan de naranjas

Ingredientes para 4 personas:

7 yemas de huevo
6 claras de huevo
200 gramos de azúcar
1/2 litro de zumo de naranja
12 bizcochos
2 cucharadas soperas de azúcar.

Batiremos un poco, en un perol, las claras, con las yemas y los 200 gramos de azúcar, agregando después el zumo de naranja pasado previamente por un colador y los bizcochos cortados en trocitos pequeños y uniendo muy bien el conjunto.

Haremos caramelo en un molde flanera, vertiendo en su interior el preparado y metiéndolo a horno lo coceremos al baño María por espacio de 30 ó 35 minutos. Transcurridos éstos, retirarlo, dejarlo enfriar y darle vuelta al molde después en una fuente de cristal. Lo serviremos muy frío.

348. Almendrados de Alicante

Ingredientes para 4 personas:

125 gramos de almendras que no estén tostadas
50 gramos de azúcar
3 claras de huevo
200 gramos de azúcar en polvo
1 vaso de almíbar.

Pelaremos las almendras, de víspera, y las moleremos junto con 50 gramos de azúcar, trabajando bien y añadiendo dos claras de huevo, el azúcar en polvo y, por último, el almíbar, mezclando todo. Dejaremos reposar la masa dos horas y después le añadiremos una clara batida firme. Vertiéndolo sobre el papel como los almendrados corrientes.

Los humedeceremos con un paño o pincel y los coceremos a horno moderado. Podemos conservarlos en cajitas metálicas cerradas.

349. Monas de Pascua

Ingredientes para 4 personas:

16 huevos
50 gramos de levadura prensada
1/4 litro de leche
2 copas de anís
75 gramos de azúcar
1/2 cucharilla de café, de canela en polvo
1 kilo, acaso menos, de harina
1 vaso de aceite.

Cascaremos doce de los huevos, separando las yemas de las claras, y batiremos las claras, añadiéndoles la leche templada, en la cual desharemos la levadura, el aceite, el anís, el azúcar y la canela; a continuación añadiremos harina, toda la que admita y amasaremos bien haciendo 4 partes iguales; con ellas confeccionaremos unos bollos que dejaremos fermentar unas dos horas tapados con un paño y en sitio templado.

Coceremos los 4 huevos restantes, ya cocidos, y cuando los bollos estén a punto, incrustaremos un huevo en cada uno de ellos y los meteremos al horno, con calor moderado, hasta que estén muy dorados.

350. Dátiles cocidos

Ingredientes para 4 personas:

600 gramos de dátiles frescos
200 gramos de azúcar
agua.

Escogeremos de preferencia dátiles en sazón, amarillos, y que no estén «candios» (pasados) procurando además que tengan buena «molla» (carne); los finos con mucho hueso no sirven para esta receta.

Pondremos una olla con agua al fuego y los coceremos en ella unos 30/40 minutos. Generalmente, con este tiempo tienen ya suficiente para estar hechos. Los serviremos escurridos, secos al aire y bien cubiertos de azúcar.

351. Naranjas acarameladas

Ingredientes para 4 personas:

8 naranjas-almíbar.

Una vez peladas las naranjas, las dividiremos en cuatro partes cada una dejándolas de esta forma, durante dos horas al aire, al objeto de que se sequen, metiéndolas y colocándolas en una fuente para que, al secar, queden acarameladas. Una vez conseguido esto las serviremos en forma de pirámide.

352. Naranjas en mermelada

Ingredientes para 4 personas:
12 naranjas
agua
3/4 kilo de azúcar.

Cortaremos seis naranjas por su centro y las exprimiremos sacándoles todo el jugo. El resto de las naranjas las pelaremos retirando los gajos enteros y limpios de toda la parte blanca.

En un recipiente pondremos una capa de naranja y otra de azúcar y así sucesivamente, hasta que estén todos los gajos colocados, echándoles el jugo de las naranjas pasado por un colador. Lo herviremos a fuego lento durante 15 minutos.

Retirado del fuego se deja enfriar antes de servirlo a la mesa, pudiendo conservarse también en el frigorífico hasta su utilización.

353. Mermelada de naranjas helada

Ingredientes para 4 personas:
8 cucharadas soperas de mermelada de naranja
1/2 litro de leche
8 gramos de gelatina
2 tazas de desayuno de crema de leche
4 naranjas vaciadas
100 gramos de frutas confitadas
4 yemas de huevo.

Herviremos la leche, mezclándola con las yemas de huevo y poniéndolas en una cacerola al baño María removiendo sin cesar hasta que espese, luego le agregaremos la mermelada de naranjas. Por separado desleiremos la gelatina y la colaremos dejándola enfriar y adicionando una taza de crema batida, endulzada con la cucharilla de azúcar. Lo pondremos a helar hasta que esté duro, sirviéndolo en cáscaras de naranjas, cortadas por la mitad y adornada por encima con una cucharada de crema batida y trocitos de frutas confitadas.

354. Postre de naranjas

Ingredientes para 4 personas:
8 naranjas
100 gramos de azúcar
2 copitas de coñac.

Pelaremos las naranjas y las cortaremos en rodajas colocándolas en un plato de cristal o una fuente redonda, y espolvoreándolas con el azúcar, las rociaremos con las copas de coñac. Dejar reposar 10 ó 20 minutos antes de servirlas a la mesa.

355. Pasteles de boniato

Ingredientes para la masa:
1 vaso de manteca de cerdo
1 vaso de azúcar
harina (la que admita)
1 vaso de aguardiente
1/3 parte de litro de aceite.
Ingredientes para el relleno:
1/2 kilo de boniatos, 1 limón
150 gramos de almendras mo-
lidas
Ingredientes para el almíbar:
1/2 kilo de azúcar, agua
2 copitas de azúcar
azucar y canela en polvo unidos.

Con los ingredientes de la masa, unidos, y echando la harina que admita formaremos una pasta homogénea que estiraremos con el rodillo y se forman los pastelillos cortándolos a modo de una empanadilla, que rellenaremos con lo siguiente:

Cocidos los boniatos en agua los escurriremos y chafaremos bien agregándoles un almíbar hecho con sus ingredientes y a punto de hebra, ralladura de piel de limón y las almendras molidas, taparemos los pastelillos y los coceremos en el horno después de haberlos espolvoreado con el azúcar y la canela.

356. Melón al ron

Ingredientes para 4 personas:
1 melón
1 copita de ron
el zumo de 1 limón
1 vaso de azúcar.

Cortaremos las puntas del melón, para que se sostenga de pie.

Después lo partiremos por la mitad vaciándole toda la pulpa. Cortaremos la pulpa en pedacitos y los introduciremos de nuevo en la cascara, juntamente con el zumo del limón, el azúcar y la copita de ron.

Lo mantendremos en el frigorífico al objeto de servirlo frío después de haberlo colocado en una fuente de cristal o plata.

357. Almojábanas

Receta original del libro «Gastronomía de la Provincia de Alicante» de Francisco G. Seijo Alonso. Ediciones Biblioteca Alicantina.

«Forma de prepararlas: Se pone agua y aceite en una sartén de bordes altos; al comenzar a hervir, se va añadiendo la harina.

Se remueve hasta su cocción, debiendo soltarse como si fueran migas.

Seguidamente, se vuelca en un lebrillo, y, al estar fría, se le incorporan los huevos, amasando bien.

A continuación, se van cogiendo montoncitos de masa, mojando los dedos en agua para que no pegue. Con un dedo, se abren en el centro, dándoles la forma adecuada.

El horno —en la huerta—, se calienta con hojas de plátano; para saber si está fuerte, se echa harina dentro, y si ésta se quema, hay que restregar el piso con una escoba mojada en agua.

Entonces, se meten las almojábanas y para ver cuándo están en su punto, se saca una del horno y se pone al aire. Si no está debidamente cocida, se encogerá.

Al retirarse del horno, se colocan en una fuente, y se bañan en miel caliente, espolvoreándolas con azúcar.

La almojábana, es manjar tradicional en toda la Vega Baja».

BEBIDAS

358. Licor de naranja

Secaremos muy bien la piel de la naranja y la piel del limón (el horno sirve para este objeto muy bien).

Después las introduciremos en un frasco de boca ancha, cuando estén bien secas, incorporándolas también el alcohol de 95 grados, los clavos de especia y la canela en polvo. Dejaremos el conjunto en infusión durante 10 días, agitándolo de vez en cuando en el frasco durante el transcurso de los mismos.

Cuando hayan transcurrido los días indicados pondremos en un cazo tres cuartos de litro de agua fría, el azúcar y la clara de huevo, sin batir. Colocándolo al fuego y cociendo su contenido, sin cesar de batirlo, hasta que se forme espuma, añadiremos entonces tres cucharadas de agua fría a intervalos y retiraremos el cazo del fuego cuando la espuma desaparezca.

Pasaremos por un trapo mojado con agua fría el contenido del cazo, mezclándolo con el del frasco y filtrándolo seguidamente por un papel filtro.

359.   Sustancia de arroz

Ingredientes para 4 personas:

50 gramos de arroz
1 litro de agua
1 taza de desayuno de azúcar
1 rebanada de pan tostado.

Lavaremos el arroz y lo pondremos al fuego con bastante agua, incorporándole el pan tostado y dejándolo cocer una hora, hasta que se deshaga.

Seguidamente lo pasaremos por el colador y le añadiremos el azúcar, dejándolo enfriar.

360.   Café al «soldado»

Ingredientes para 4 personas:

1 café solo (1 tacita) que esté muy fuerte
1 vaso de gaseosa
2 cucharillas de café, de azúcar.

Serviremos el café (frío) en un vaso alto acompañado del azúcar y la gaseosa y batiéndolo con una cucharilla larga de refresco.

Pueden añadirse cubitos de hielo.

361.   «Aigua de Civada»

El «aigua de Civada» es tan popular en la región levantina como puede serlo la horchata de chufa. Ambas son muy ricas, aunque la industrialización de la horchata ha dado un impulso a ésta que no ha tenido la otra.

Ingredientes para 5 litros:

3 kilos de cebada
1 kilo de azúcar negra de caña [1]
agua.

Pondremos la cebada a remojo unas 12 horas y después la lavaremos bien cociéndola en agua, unos 15 minutos, pasados los cuales colaremos el cocimiento incorporándole el azúcar.

---

[1]   A veces se echa simplemente azúcar quemada.

362. «El pixer»

Ingredientes para 6 personas:
1 litro de licor de café
1/2 cucharilla de café, de canela
en polvo
3 litros de agua
750 gramos de azúcar
2 cucharadas soperas de azúcar
quemado
el zumo colado de 1/2 limón
la corteza de 1 limón.

En un bol de cristal o utensilio (no metálico) y que sea hondo pondremos el agua, le añadiremos la corteza de limón rallada, el zumo del limón, la canela, el azúcar normal y el azúcar quemada.

Seguidamente, pasaremos todo ello por un colador de tela metálica y lo dejaremos en frascos, dejando éstos en el frigorífico. Cuando esté frío agregaremos el licor de café.

Se sirve en «pixers» [1], de ahí le viene su nombre.

---

[1] Creemos, se trata de una especie de cuencos o vasos en los que se toma la bebida.

LA HORCHATA DE LEVANTE

Se cree que la horchata, o el refresco que conocemos bajo ese nombre, se conocía ya en el siglo XVIII, no obstante y, en los libros que hemos consultado, parece ser que ya en el siglo XIII se tomaba una bebida muy similar que se obtenía después de haber exprimido las chufas.

La horchata admite, además de los ingredientes genuinos, la adición de corteza de limón y canela, aunque aseguran los entendidos que la verdaderda «Horchata de la huerta de Valencia» no la lleva.

El lugar donde la horchata tiene su «cuna» es Alborada, muy cerca de Valencia. Veamos la receta:

363. Horchata de chufas

Ingredientes para 4 personas:
200 gramos de chufas
1 litro de agua
275 gramos de azúcar glass.

Después de haberlas lavado bien en varias aguas, dejaremos las chufas en agua durante 12 horas. Al cabo de este tiempo, se vuelven a lavar de nuevo, se escurren y se machacan en un mortero o en una batidora eléctrica, para que quede todo bien chafado. Agregaremos el agua, mezclándolo bien, y lo pasaremos por el colador, añadiendo el azúcar; cuando se haya disuelto, lo volveremos a colar dejándolo en el frigorífico para que se enfríe y espese un poco.

364. Jarabe de horchata de almendras

Ingredientes para 4 personas:
1 litro de agua
150 gramos de almendras
agua para el remojo de las al-
mendras
800 gramos de azúcar
1 limón.

Escaldaremos las almendras y les quitaremos la piel, dejándolas en agua para que se remojen durante tres horas; luego las machacaremos y mezclaremos con el litro de agua, colándolas por un paño limpio y pasándolas dos o tres veces por el paño para sacarles todo su jugo. Las echaremos en un cazo junto con el azúcar y cáscara de limón y poniendo el cazo al fuego, moviéndolo hasta que esté a punto de arrancar a hervir. Apartándolo lo dejaremos a enfriar y lo escanciaremos en una botella hasta su utilización.

365. Leche de naranja o limón

Ingredientes para 4 personas:
3/4 de litro de leche
5 naranjas o 5 limones
100 gramos de azúcar.

Mezclaremos el zumo de las naranjas, o de los limones, con el azúcar y le incorporaremos, poco a poco, la leche fría.

Lo batiremos bien, dejando enfriar bastante en el frigorífico y lo serviremos con pajitas.

MIS RECETAS

MIS RECETAS

MIS RECETAS

MIS RECETAS

INDICE DE RECETAS

CAPITULO I.— Arroz y paellas

CAPITULO II.—Sopas, cocidos, potajes y ollas

CAPITULO III.—Verduras, hortalizas y patatas

CAPITULO IV.—Ensaladas

CAPITULO V.—Salsas

CAPITULO VI.—Pescado, marisco y bacalao

CAPITULO VII.—Huevos

CAPITULO VIII.—Menudos o despojos

CAPITULO IX.—Carnes

CAPITULO X.—Aves y caza

CAPITULO XI.—Varios

CAPITULO XII.—Postres y bebidas